Como te ven...
te tratan

Imagen y etiqueta para damas

2a edición actualizada

Por la Superación del Ser Humano y sus Instituciones

Rosario Galindo de Fernández

Como te ven... te tratan

Imagen y etiqueta para damas

2a edición actualizada

Prólogo de EVELYN LAPUENTE

 PANORAMA EDITORIAL

COMO TE VEN... TE TRATAN
(Imagen y etiqueta para damas) Segunda edición

Derechos Reservados
Copyright © 2010 by Rosario Galindo de Fernández

Portada:
Fotografía: Archivo Digital/Digital Stock

Fotografías: interiores de color
Luis Castañeda Núñez

Segunda edición: 2010
Primera reimpresión: 2011
© Panorama Editorial, S.A. de C.V.
   Manuel Ma. Contreras 45-B
   Col. San Rafael 06470 - México, D.F.

Tels.: 55-35-93-48 • 55-92-20-19
Fax: 55-35-92-02 • 55-35-12-17
e-mail: panorama@iserve.net.mx
http://www.panoramaed.com.mx

Printed in Mexico
Impreso en México por:
Impresora Múltiple, S.A. de C.V.
Saratoga No. 909 Col. Portales
03300 - México, D.F., Febrero, 2011
ISBN 978-607-452-171-9

Dedicatoria

Después de más de diez años, vuelvo a dedicar este libro a todas las personas que han inspirado mis deseos de seguir investigando para escribir y para instruirme en este mundo de la imagen, que parece frívolo y tan superficial pero que es tan"esencial para el ser humano" como la envoltura de cualquier regalo a la vista de la primera impresión.

Con todo mi cariño, para todos los que confian en mi.

Rosario Galindo

Índice

4
Comportamiento adecuado en la vida diaria
y en los negocios 75

5
Etiqueta en la mesa 85

Prólogo

Rosario Galindo, reúne en este libro lo que todos debemos saber ya que si bien es cierto que el conocimiento intelectual te da seguridad, yo diría que el conocer el contenido de "Como te ven... te tratan" te dará la pauta para ser mejor, te verás más bella y tendrás lo que escasea hoy en día: estilo propio.

Rosario abarca mucho y logra darnos una idea en diferentes campos tan necesarios: etiqueta, arreglo personal, color, actitudes, ahorro, orden, educación, etc.

Es "Como te ven... te tratan" un libro en nuestro idioma fácil y que suena sencillo, sin rebuscamientos, son sugerencias al día, con colores que existen.

Veremos que importantes son los modales, los detalles y la etiqueta que dan el sello siempre distinguido; en este libro encontramos la forma de conocer y aplicar estos aspectos importantísimos para desenvolvernos en sociedad y dar a cada ocasión la importancia que requiere, un toque especial en el que reflejamos nuestra propia personalidad.

Es este libro actual y da la impresión de una plática entre amigas y al mismo tiempo contiene la cantidad de información que nos da la confianza de que Rosario Galindo sabe lo que hace.

Evelyn Lapuente

Introducción

En este libro conocerás un poco más de tu físico para tener la imagen que deseas proyectar, sabiendo primero que nada el significado de ésta y el impacto que tiene ante los demás.

Aprenderás a usar la ropa y las combinaciones que te harán lucir bien sabiendo elegirlas, ya que conozcas tu tipo de cuerpo te darás cuenta de que no es necesario gastar mucho, solamente usar el sentido común y tu imaginación, después de poner en práctica lo que aquí leerás.

Conocerás las reglas básicas de la etiqueta y el buen comportamiento. La palabra "etiqueta" llama la atención porque sabemos que desde que la sociedad se instituyó como tal, fue creando ciertas leyes que rigen la buena educación. Estas suelen variar un poco según la cultura, la época, el país y las situaciones, sin embargo, hay algunas que en esencia no cambian.

Estas deben y pueden seguirse en cualquier nivel social ya que no es el dinero solamente lo que las hace.

Ciertamente cuando se nace en una familia donde éstas se siguen a pie juntillas, pudiéramos decir que "se llevan en la sangre" y son desde siempre una forma de vida, no obstante si se desea, se pueden ir aprendiendo y poniendo en práctica de acuerdo a las diferentes ocasiones.

Al principio serán "actuaciones", lecciones aprendidas, pero poco a poco, cuando las memorizamos las hacemos parte nuestra, naturales y llegarán a darnos ese sello de distinción personal que nos hace únicas.

Como ejemplo claro tenemos a la realeza, quienes saben comportarse como príncipes desde que nacen, perdiendo tal vez ante nuestra vista de plebeyos, la sencillez en las caras. Y así veremos que un pequeño príncipe de pocos años, ya lleva traje de vestir en la mayoría de las ocasiones, siendo esto inusual en otros medios y me gustaría nombrar a la Princesa Letizia y a La Reina Rania, quienes han aprendido a ser Princesa y Reina en sus puestos actuales.

Es necesario saber guardar la compostura en cualquier sitio y ocasión y también es muy importante recordar que "al país donde fueres... haced lo que vieres" y primero debemos pensar en ello, en la gente que nos rodea y en el papel que representan en cada momento.

Este libro va dirigido a cualquier persona, de cualquier sociedad o economía que desee conocer o reafirmar los puntos básicos de una imagen refinada. Básicamente está pensado en las personas que no han nacido en una casa rica, que no han llevado una vida social obligada pero que, por su crecimiento profesional o deseo de ser mejores quieren conocer, aprender y practicar "La etiqueta y reglas básicas de una buena educación".

Rosario Galindo de Fernández

1

¿Qué significa imagen?

Cuantas veces no hemos escuchado el refrán que dice:

"Una Imagen vale más que mil palabras".

Y esto es tan cierto como el que al solo ver a una persona, una casa, una ciudad o inclusive recibir una actitud de alguien, nosotros podemos definir cantidad de cosas que se refieren a esto. Es por ello que es tan importante que cuidemos de todos los detalles que nos rodean, empezando por nuestra persona, nuestra imagen, ya que con ella transmitiremos todos nuestros "secretos".

En este capítulo de una forma sencilla conocerás todo lo referente a lo que es la imagen, como se conforma y como debes cuidarla, espero que disfrutes esta lectura.

La imagen es tan importante que demuestra en poco tiempo por medio de la visión cualquier efecto que se desea causar.

En menos de 7 segundos tenemos una imagen construida de lo que estamos viendo. Si tú ves las siguientes imágenes, sin palabras, solo con ello puedes saber muchísimas cosas de los "contenidos" que hay ahí. Hagamos la prueba:

A

Al ver la imagen de estas casas te pregunto para que le des vuelo a tu imaginación:

¿Quiénes viven en esta casa?_____

¿Viven niños? _____

¿Cuántos sirvientes? _____

¿Qué deportes practican?_____

¿Qué automóvil usan?_____

¿Qué tipo/marca de ropa usan?_____

¿Qué comen?_____

B

¿Quiénes viven en esta casa?_____

¿Viven niños? _____

¿Cuántos sirvientes? _____

¿Qué deportes practican? _____

¿Que automóvil usan? _____

¿Qué tipo/marca de ropa usan?_____

¿Qué comen?_____

Al verlas, rápidamente nuestra mente asocia: clase social, familia, economía, trabajo, forma de vida, etc., esto reafirma que UNA IMAGEN
VALE MAS QUE MIL PALABRAS, ya que no tengo que decir mucho y
tu si has podido traer a tu mente muchas más imágenes y pensamien-
tos con estas fotografías y preguntas, es más con un poco más de tiempo ¡hasta un cuento podrías hacer con cada una de ellas!

Sólo para que no te quedes con la duda, la primera es la casa de
una pareja de actores en un barrio de Miami Beach y la segunda está
tomada en un barrio de Tailandia.

El físico es lo que primero mostramos, es lo que primero se ve.

Imagínate que te voy a dar un regalo y te doy a escoger entre los dos siguientes,

¿Cuál escogerías?

¡Claro! Por lógica la caja azul, envuelta y bella, porque las cosas envueltas y atractivas

Llaman más la atención……., pero al abrir los regalos resulta que…….

La caja hermosa, envuelta…… ¡está vacía! ¡Y la bolsa de papel está llena de dinero!

Por esto es indispensable la buena imagen, ya que es nuestra envoltura, lo que mostramos a los demás en un principio.

Referente a esto mi frase preferida es:

"A las personas se les recibe según visten...se les despide según piensan"

y lo anterior es un claro ejemplo de ello.

Por lo tanto la imagen no es sólo una persona, es una ciudad, un país, una casa, una escuela, etc. y debemos conservar todo esto para causar una buena impresión, ya que:

"Nunca tendremos una segunda oportunidad de causar una primera impresión"

¿Cómo se conforma el impacto?

De acuerdo al Psicólogo Albert Merhabian dado a conocer en su libro Silent Messages, el impacto se conforma por:

55% LA APARIENCIA: lo que traemos puesto, la ropa, los anteojos, los accesorios, etc.

38% LOS MOVIMIENTOS: la expresión corporal, como nos movemos,

7% LO QUE DECIMOS el contenido de lo que decimos es lo último que queda en la mente.

COMO SE CONFORMA EL IMPACTO, ALBERT MERHABIAN

Así es que cuando hablamos, somos todo.

Es sumamente importante después de esto recordar siempre que:

Las palabras convencen pero el ejemplo arrastra

Imagen interna y externa

Esta está formada por lo siguiente:

El lenguaje corporal muestra tu personalidad, lo que expresas: Como caminas, en la entrada a un lugar, de forma triunfal o con miedo, como te diriges.

La postura: de seguridad, de cansancio, al sentarte, si tienes una sonrisa o mala cara, reflejas el estado de ánimo, con el saludo la seguridad, el nerviosismo.

Comunicación Verbal: como te expresas, de qué y cómo hablas. Dicen que de lo que hablas está lleno tu corazón

Comunicación Escrita: como escribes, envías un mensaje, tu ortografía, tu letra, etc.

Todo lo anterior marca tu cultura, tu nivel social, tu educación, a que te dedicas, algunas veces tu estado civil, etc. Es increíble como con solo una simple mirada podemos «adivinar» tantas cosas de una persona.

Debes tener siempre un *respeto al territorio*, no te encimes al otro, guarda siempre tu distancia.

Lo que traes puesto: como te vistes, tus zapatos, tu ropa, la higiene; si tu aspecto es sucio o desaliñado o pulcro e impecable. El cabello: si es largo o corto, peinado o despeinado, etc.

Los accesorios: son tu toque de distinción personal. El tipo de reloj, la corbata, el portafolio; los aretes, el collar., etc.

Sensorial: como hueles, si sudas, el contacto de tu piel.

Todo esto se encierra en una sola oración: TU ACTITUD, DETERMINA .

¡Quién eres!

Como ves la imagen personal es tan importante que se vuelve indispensable cuando quieres causar un efecto positivo ante cualquier persona. Lo es tanto que esto:

¡Te abrirá el camino para cualquier empresa que desees emprender!

Tú comunicas con tu imagen:

La autoestima, lo que te quieres a ti misma porque te cuidas por ejemplo si estás delgada u obesa demuestras lo que comes y haces ejercicio. Si eres aseada, te vistes de una forma adecuada a lo que quieres ser y parecer, etc....

Tu estado de ánimo, lo demuestras y comunicas en tu forma de caminar y con tus movimientos, si estás contenta, triste, deprimida.

Tu nivel cultural/educacional según tus atenciones y actitudes.

La confianza en ti y en tus actitudes la proyectas.

Tu éxito, a donde vas y hasta dónde has llegado.

En imagen no hay nada ni bueno ni malo, todo está en lo que deseas proyectar

Imagínate que en tu empresa que es líder en el mercado, donde los ejecutivos deben demostrar categoría, nivel cultural amplio, etc., vas a contratar personal, sales a la sala de espera y ves a dos caballeros, uno con arete, pelo largo, de jeans y botas, en su currículo tiene excelentes calificaciones. El segundo va de traje y corbata, no ha terminado la carrera y tiene deficientes calificaciones; esto último no lo sabes, entonces, ¿a cuál entrevistarías y contratarías?

Tu puedes adivinar el trabajo de una persona por su imagen física o su vestimenta.

Hagámoslo viendo las siguientes IMAGENES:

¿Adivinaste? Vamos a ver:

Director de orquesta, Mesero, Orador, Ejecutiva, Ingeniero y Maestra

Existen algunas reglas básicas del buen vestir y aunque haya algunos cambios según la época esto no se debe olvidar:

La sencillez

2

¡Todo está en el color!

LOS CONTRASTES

Frío y cálido

¿Te has preguntado por qué, algunas veces te sientes mucho mejor con una prenda que con otra y no sabes la causa? ¡TODO ESTA EN EL COLOR!

Esto lo descubrió el pintor suizo Johannes Itten (1888-1967, Zurich), quien pintó cuatro cuadros de las cuatro estaciones y le puso nombre a las mismas después de analizar a sus alumnos y ver que cada uno de ellos plasmaba su mismo colorido personal en sus cuadros. Analizó también a varios pintores y descubrió lo mismo, por ello en conjunto con Robert Dorr, (Universidad de Stanford (1905-1980) dieron inicio a la teoría de color.

Suzanne Caygill (1972) fue una de las pioneras en análisis de color y escribió el primer libro del tema: "Color The esence of You" que hasta la fecha nos ayudan a resaltar nuestros colores y vernos mucho mejor.

Encontramos al momento infinidad de libros y autores que nos hablan sobre las estaciones y los colores, pero lo más importante es recordar que este NO ES UN TEMA PASADO DE MODA, ya que es algo basado en conocimientos e investigaciones un tanto científicas y que hablan de armonía y se basan en el círculo de color de Albert Munsell (1858-1918), otro gran hombre creador del color.

La diferencia está justamente ahí. Con "nuestros colores" resaltamos "nosotros" y nos vemos sensacionales, con los que no nos van, nos vemos "descoloridos" y pasamos desapercibidos.

Y para que te quede más claro te pondré algunos ejemplos de personas públicas para que distingas el colorido personal de cada una de ellas.

COMO INVIERNO, personas dramáticas y contrastes: Paloma Picasso, Galilea Montijo, Patricia Manterola. Y varones: George Cloony, Adal Ramones y Carlos Loret de Mola.

Las personas pertenecientes a las estaciones frías, invierno y verano usarán los colores basados en el azul.

LAS PERSONAS VERANO, suaves y opacas: Rosario Galindo, Princesa Letizia, Veronica Castro. Y varones: Príncipe Felipe, Arturo Peniche y Luis Miguel.

Al contrario que las de estaciones cálidas como el otoño y la primavera que se basarán en tonos amarillos.

LAS PERSONAS PRIMAVERA, claras y brillantes: Edith González, Leticia Calderón, Goldie Hawn. Y varones: Brad Pitt, Robert Redford y Sebastían Zurita.

LAS PERSONAS OTOÑO, terrosas y vibrantes: Lucía Méndez, María Sorté y Adela Micha. Y varones: Emmanuel, Ricky Martin y Bill Gates.

Esto lo sabemos por medio de un análisis individual en el que llegamos a conocer cuál es nuestra estación y sabemos con seguridad qué colores nos favorecen más en la ropa, tono de cabello, accesorios, joyería, maquillaje (en el caso de ser mujeres) fragancias, etc.

Sabremos también cómo arreglar nuestro guardarropa y combinarlo mejor, utilizando complementos, así como también ahorraremos tiempo al comprar.

Cuando realizas el análisis de color con una profesional, obtendrás un muestrario de colores en la que llevarás siempre las gamas básicas de la estación a la que perteneces, para elegir tus compras. (*Véase Armonía y estilo en la última página.*)

¡Te invito a entrar al mundo mágico del color, para que resaltes tus facciones y tu personalidad!

En la solapa de la portada de este libro encontrarás los colores básicos del invierno y el verano (fríos) y en la contraportada los del otoño y la primavera (cálidos), al igual que en el guardarropa encontrarás las cápsulas de acuerdo a la estación de cada persona.

Tu cuerpo está vestido de color y los colores hablan

Los colores influyen en todo el entorno de tu vida pero mucho más en tu forma de vestir, si sabes cuál es tu estación sabrás cuales usar sin embargo habrá ocasiones en las que tendrás que combinarlos de acuerdo a lo que quieras proyectar, por lo que en seguida podrás leer una lista de lo que psicológicamente se percibe con ciertos colores.

El 90% de tu cuerpo está cubierto con ropa y accesorios por eso es tan importante que pongas atención al elegir tu guardarropa.

Negro: Elegante, liderazgo, es duro y retador, no es conveniente para entrevistas o juntas de trabajo.

Azul marino: Elegante, refleja autoridad y respeto, confianza, credibilidad, solidez, es muy recomendable para juntas, entrevistas o para hablar en público.

Gris: Serenidad, eficacia, madurez.

Champagne o caqui: Informal, casual.

Colores pastel: Disminuyen la imagen profesional, son dulces.

Morado: Ostentación, intimidante, alejamiento, un tanto teatral, artificial.

Rojo: Atrevido, sensual, atrae la atención.

Blanco: Refinamiento, pureza, luz.

Café: Casero, amigable, poco recomendable para el trabajo.

Naranja: Alegre, energenizante y desinhibido. Induce a emociones profundas.

Verde: Apacible y equilibrante. Atrae a la paz.

Amarillo: Alegre y animado. Genera ideas y creatividad.

Recuerda estos sencillos consejos y esta frase de Robert Panté, uno de los grandes hombres del buen vestir:

"Vístete de acuerdo a... lo que quieres ser... a donde quieres llegar... el éxito que quieres lograr... vístete para triunfar".

3

Puntos básicos para la imagen de las damas

En este pequeño espacio encontrarás varios conceptos que te ayudarán a verte mejor y a sentirte bien.

Ante todo, deberás recordar: "Tú eres como eres, si no te gusta, trata de cambiar, pero si no puedes, no te pelees contigo misma, acéptate como eres."

Lo importante será que descubras todos tus puntos bellos y trates de resaltarlos y al mismo tiempo disimules todos aquellos que no te hacen lucir excelente.

Piensa en la vieja frase: "De la moda lo que te acomoda" y no uses por estar a la última moda cosas que no te favorecen.

Lee con atención las siguientes páginas y después obsérvate con detenimiento, para que te clasifiques tanto en forma de cuerpo como en el estilo que deberás adaptar y adoptar según tu forma de vida.

Ahora, ¡adelante! Luce tan bella como puedes ser.

Eres única

Sólo busca:
Tu imagen…
Tu estilo…
Tus proporciones…
y los accesorios adecuados.

"Tú eres como eres,
si no te gusta
intenta cambiar,
pero si no puedes…
quiérete, acéptate,
y luce lo mejor posible,
¡No te pelees contigo misma!

Estilo

Hablando de estilos hay varias opiniones. De acuerdo a la teoría de Alyce Parson, AICI, CIP en su libro "The Universal Style" existen 7 estilos: Natural/Casual, Clásico, Clásico/Elegante, Dramático, Dramático/Creativo, Romántico y Romántico/Sexy.

En la escuela de Asesores de Imagen de España nos hablan de una gran cantidad de estilos, desde el Grunge, Yupie, Futurista y así podría seguir hasta llegar a 30 o 40 más, pero estos se refieren mas a "estilos en moda o vestir", por esto hay que definir bien lo que es ESTILO lo cual se diferencia por cierto de PERSONALIDAD que tiene mas que ver con la definición de Alyce Parson.

¿Qué es personalidad?

Es el equilibrio armónico entre el espíritu, la mente y el cuerpo. Con esta se nace y a través de los años la vamos formando, encausando y modificando.

¿Qué es estilo?

Es lo que te diferencia de los demás. Con el estilo no se nace, se aprende y se adquiere en el camino de la vida.

Juntando las dos cosas vas formando entonces tu propia PERSO-NALIDAD Y ESTILO y aunque ya tienes gran parte inherente dentro de ti a través de varios factores es que logras definirte.

A través de mi experiencia y para que te sea más fácil en este libro, lo he simplificado solamente en 4 PERSONALIDADES/ESTILOS:

NATURAL/CASUAL
CLASICO
DRAMATICO
ROMANTICO

Y el SOFISTICADO que realmente enmarca un poco de todos con algún detalle propio.

Para que puedas darte una idea de donde te encuentras en este momento, contesta el siguiente cuestionario, te ayudará a descubrir cuál es el estilo que tienes por naturaleza. Después encontrarás los cuatro estilos básicos que existen, descubre cuál es el tuyo para que te ubiques en el.

Recuerda: "Eres única e irrepetible, no trates de ser una copia o imitación de nadie, busca tu propio estilo, sé tú misma en plenitud, luce lo más bella que puedas resaltando todo lo mejor de ti."

Cuestionario de estilo para mujer

INSTRUCCIONES: Marca sólo una respuesta (A-D) para cada una de las preguntas.

1.	¿Cómo describirías tu look cotidiano?
A	Me encanta imponer. Busco prendas de última tendencia, muy angulosas que capten la atención.
B	Prendas que me haga ver bonita, con detalles muy femeninos.
C	Muy pulcra y sobria. Con ropa coordinada y que me haga ver como una persona seria.
D	Relajado, casual, cómodo.

2.	¿Cómo aplicas el color en tu guardarropa?
A	Me gustan los colores fuertes y brillantes. Me encantan los contrastes.
B	Colores suaves. Utilizo muchos colores pastel.
C	Busco colores coordinados y sobrios. Neutros, básicos y oscuros.
D	No me complico: combino colores de manera muy simple.

3.	¿Qué clase de compradora te consideras?
A	Amo toda la experiencia de comprar. Probarme, verme bonita, compartir el momento con quien me acompañe.
B	Planeo mi ruta de compra y trato de llevar una lista. Trato de comprar cosas clásicas que no pasen de moda.
C	Sólo voy de compras cuando lo necesito.
D	No me complico: combino colores de manera muy simple.

4.	¿Qué tienes en tu guardarropa para trabajar (formal)?
A	Prendas que tengan mucho diseño y que llamen la atención por su corte.

B	Blusas bonitas, prendas con flores o brocados. Tops que combinan con mis suéteres.
C	Trajes sastres.
D	Prendas cómodas, fáciles de cuidar. Nada coordinado.

5. ¿Qué encuentras en tu guardarropa informal?

A	Mis últimas compras: prendas de última moda.
B	Ropa femenina, que tenga detalles suaves, bonitos.
C	Pantalones y faldas coordinadas de manera alternativa.
D	Jeans y blusas confortables. A veces pants.

6. ¿Qué tienes en tu guardarropa para ocasiones especiales?

A	Ya sean vestidos de noche, de cocktail o trajes, que vayan según las tendencias de moda.
B	Vestidos que ciñan mi cuerpo de manera sutil, que tengan flores o detalles.
C	Vestidos simples, sóbrios. Vestidos sastres.
D	Vestidos confortables. Pantalones de vestir o faldas largas no entalladas.

7. ¿Qué tipo de joyería prefieres?

A	Joyería marcada, accesorios grandes y angulosos. Te hacen resaltar.
B	En oro, plata o perlas. Con formas rebuscadas, bonitas o antiguas. Juegos de joyas.
C	Simple, fina, de escala pequeña.
D	Muy sencillo o inclusive nada.

8. ¿Qué tipo de maquillaje prefieres?

A	Me encanta maquillarme. Enfatizo mis rasgos.
B	Paso mucho tiempo en el maquillaje. Busco verme linda, dulce.

C	No paso mucho tiempo en ello. Ya tengo mis colores y rutina bien definida.
D	Sencillo. No me gusta maquillarme mucho, a menos que sea necesario.

9. ¿Cuál es el estilo que das a tu cabello?

A	Cambia regularmente, según lo que venga en tendencia.
B	Medio o Largo. Me encanta el cabello ondulado y con movimiento.
C	Pulcro. Siempre bien cortado y controlado. Es difícil que cambie de look.
D	Largo o corto, que no me de mucho trabajo.

10. En ocasiones corres el riesgo de verte:

A	Agresiva
B	Cursi
C	Anticuada
D	Fachosa

11. Cuando te ven, ¿Qué mensaje quieres comunicar?

A	Moderna y sofisticada
B	Ser femenina. Dulce y hogareña.
C	Conservadora y ejecutiva
D	Ser accesible, Divertida y amistosa

SUMA TUS RESPUESTAS PARA QUE SEPAS TUS RESULTADOS

CLAVE	ESTILO	PUNTAJE
A	DRAMÁTICA	
B	ROMÁNTICA	
C	CLÁSICA	
D	NATURAL	

¿COINCIDE? EN SEGUIDA TIENES LAS CARACTERISTICAS

Estilo natural

La mujer natural es muy informal. Algunas personas la llaman casual también.

Puede ser alta o también menuda, y normalmente tiene aire juvenil. Normalmente es muy deportista, camina con aire enérgico y sus modales son amistosos.

Le quedan excelente las prendas deportivas, desde las informales hasta las mas chic. Puede llevar botas con jeans, faldas y suéteres.

La mujer natural debe evitar todo lo que resulte teatral o sofisticado. Lucirá mucho mejor con joyas pequeñas y sencillas.

El maquillaje es solo para cubrir imperfecciones y hacer algunas correcciones. Su cabello puede ir largo lacio o un corte un poco despeinado.

En este estilo encontrarás por ejemplo a Lorena Ochoa, Lucero, y _____?

Si no estás dentro de esta categoría y quisieras estarlo, basta con intentarlo.

Estilo clásico

La mujer clásica tiene generalmente los rasgos faciales regulares, el cuerpo bien proporcionado sin importar mucho la estatura, aunque ésta tiende a ser media.

Es conservadora y elegante, siempre va bien arreglada. Es normal en ella tener un buen porte y cierta formalidad. Utiliza mucho el traje sastre o el vestido clásico camisero.

La mujer clásica siempre está actualizada en un estilo conservador, el largo de la falda casi siempre es el mismo pues sólo acepta los cambios una vez que han sido totalmente establecidos.

La joyería que utiliza siempre es fina, los aretes de medias perlas son sus preferidos y nunca se pone nada demasiado exagerado.

El maquillaje es ligero y discreto aunque impecable.

En esta personalidad conocemos por ejemplo a la Reina Rania, Jaqueline Andere, Lolita Ayala.

Aunque no seas una mujer del todo clásica, puedes adoptar este estilo teniendo cuidado de combinar con algún accesorio de acuerdo a tu personalidad. Casi siempre con la edad todas las mujeres nos volvemos clásicas.

Estilo dramático

La mujer dramática normalmente es alta y delgada, de apariencia llamativa y de rasgos angulosos.

Tiene hombros anchos, inclusive huesudos. Tiene un aire exótico, caderas planas y piernas largas. Este tipo de mujer puede permitirse las extravagancias de la moda y generalmente se ve bien.

Gracias a su estatura, puede ser exagerada en los accesorios, pueden ser atrevidos, grandes y elaborados. El corte de cabello puede ser simple, corto o largo.

El maquillaje mas cargado se ve bien, resaltando siempre los ángulos del rostro.

Tenemos como ejemplo de mujeres dramáticas a María Félix, Cher y Adela Micha.

Si no estás dentro de esta categoría y te gustaría estarlo, ten en cuenta tus medidas y tu edad.

Estilo romántico

La mujer romántica es muy femenina, tanto en estilo como en modales.

Su figura normalmente tiene curvas y le quedan las prendas ahuecadas y flojitas. Aunque tiene cierto parecido con la mujer dramática por su arreglo llamativo, es mas pequeña y debe por lo tanto ser menos exagerada. Todos los estampados que usa son femeninos, un poco rebuscados y los usa con flores.

Utiliza vestidos enfatizando mucho la cintura y escotes profundos, sobre todo para la noche. La mujer romántica tiene ojos tiernos y dulces.

El maquillaje lo utiliza realzando mucho los ojos y enmarca los labios. El cabello normalmente es largo, con rizos, cerca del rostro.

Las joyas son llamativas y recargadas con piedras y perlas, le gusta la fantasía fina.

Encontramos por ejemplo a Brigitte Bardot/ Salma Hayek/ Paulina Rubio. Si quieres tener aire de romántica puedes hacerlo alguna vez, usando un vestido de volantes o con algún moño o encaje, pero ten cuidado en no caer en el extremo y ponerte tantas cosas que no se sepa en dónde estás tú o en dónde esta tu estilo.

Estilo sofisticado

La mujer sofisticada es la que en cualquier estilo, ya sea natural, clásica, romántica o dramática pone un toque especial y diferente en su arreglo, un algo distinto que la hace llamar la atención.

Tal vez todas deberíamos tener ese toque que nos distingue y hace mas femeninas. He aquí unos ejemplos:

CLÁSICA/SOFISTICADA:

Es la mujer que aunque prefiere lo convencional gusta de usar accesorios de moda que la hagan sentirse actual, por ejemplo: un traje sastre de lino pero con una gran flor contrastando en la solapa.

NATURAL/SOFISTICADA:

Es la mujer joven, natural que no se va nunca a los extremos pero que por su edad no usa ropa muy formal, prefiere lo tradicional y sencillo pero usa accesorios que pueden llegar a ser llamativos o si le sienta bien una minifalda.

ROMÁNTICA/SOFISTICADA:

Recarga un poco los accesorios.

DRAMÁTICA/SOFISTICADA:

Ella de por sí es siempre sofisticada.

Podríamos definir que la mujer sofisticada es la que tiene la audacia de verse diferente pero en su propio estilo, tomando en cuenta siempre su edad y la ocasión.

Cómo se va mejorando el estilo en el vestir

- **GUSTO:**
  Se adquiere a través de la observación (viendo a la mamá, las revistas, modelos, televisión, cursos, etc.)

- **CALIDAD:**
  Más vale poco bueno que mucho de baja calidad. Las telas de fibra natural, los cortes clásicos y los buenos acabados darán siempre el toque de elegancia. Busca que el corte sea al cuerpo, sin ajustar, que las costuras "empaten" si el estampado es de cuadros o de rayas, que el forro sea invisible, etc.

- **PROPIEDAD:**
  Tomarás en cuenta:

  - LA EDAD: Es bueno vestirte juvenil, pero siempre adecuada.
  - LA FIGURA: Si eres delgada o gordita, alta o bajita.
  - EL CLIMA: Para las texturas, colores y combinaciones.
  - LA OCASIÓN: Ya que no podrás ir igual a la oficina que a un día de campo, o a practicar algún deporte.
  - No más de tres colores, a menos que sea un estampado y usarás el color predominante en los accesorios.

Por último la **CONSISTENCIA:** La ropa y los accesorios deben "hablar el mismo idioma". Esto quiere decir que todo debe ir de acuerdo al mismo estilo y según la ocasión. Un ejemplo de error muy clásico sería: "Pants con tacones y aretes largos de perlas y brillantes". Los pants son para hacer deporte, por lo tanto van con zapatos tenis, nunca con tacones, lo mismo que los aretes largos que son para una vestimenta formal, en este caso se usarían aretes de broquel.

¡Atrévete a ser bella siempre!

Lo más importante es que tú busques lo que mejor te queda, cuál es el estilo que más te favorece, como lo leíste anteriormente de acuerdo a tu figura, a tu edad, al clima y a la ocasión.

Texturas

La textura de la tela que se utiliza en la ropa es muy importante. Hay prendas que necesitan tener una tela con caída, como las de pliegues y volantes y otras que necesitan cuerpo como los trajes sastres y las tablas. De igual forma, las primeras son ideales para disimular una figura gruesa, así como las segundas les quedan bien a las personas delgadas.

Es muy importante seleccionar el tipo de telas que vamos a utilizar de acuerdo a la ocasión, ya que hay algunas que sólo son para el día y otras para la noche.

Deben ser compatibles entre si en el diseño de la prenda y con los accesorios que se utilizan, así como adecuadas al clima y la ocasión.

En seguida tienes una lista de algunas telas —texturas— que te servirá para tus próximas prendas.

TELAS PARA:	
DIA	NOCHE
• Algodón	• Brocado
• Camiseta (jersey)	• Chifón
• Casimir	• Encajes
• Gabardina	• Lamé
• Lana	• Moiré
• Lino	• Piel con pelo
• Piel	• Raso
• Poliéster	• Satín
• Poliseda	• Seda
• Rayón	• Shantung
• Mezclilla	• Tafeta
• Seda opaca	• Terciopelo

Los estampados deben ser también acordes con el estilo de cada persona y sus proporciones, estos vienen en cada textura en diferentes tamaños, y los diseñadores normalmente toman en cuenta la temporada del año para imprimirlos.

Por ejemplo, utilizan flores y fauna en primavera y verano, así como rayas multiformes, no así en invierno donde utilizan más los cuadros y las rayas. Los lunares son de moda y temporada y casi siempre se usan en telas delgadas.

Medidas y proporciones de la figura

Todas desearíamos ser "10, la mujer perfecta" sin embargo muy pocas son las que alcanzan dicha perfección, máxime cuando al convertirnos en madres nuestra línea cambia y se deteriora con los años. Pero debemos tratar de estar lo mejor posible, cambiando lo que podemos, como es tener el peso adecuado llevando una buena nutrición y una rutina de ejercicios constante (Léase Mujer... armonía y estilo, Editorial Panorama) y conociendo lo que no podemos cambiar -como la estatura o un talle largo- vistiéndonos en una forma apropiada. Para ello te mostramos las diferentes figuras con las medidas y proporciones, para que intentes conocerte mejor.

Observa tu cuerpo desnudo frente a un espejo y anota en un papel como te ves. Compáralo con los tipos de cuerpo que vienen en este libro y checa tus proporciones.

Recuerda que si no estás segura puedes consultar con una experta en la materia, esto será una sola vez, así es que vale la pena. (Véase Armonía y estilo al final del libro).

Es el momento también de checar tus senos. Debes fijarte que los dos estén a la misma altura, que los pezones sean del mismo color, incluso tócalos para que notes si hay alguna bolita extraña. Si ves algo raro, consulta a tu ginecólogo de inmediato.

Figura equilibrada

Si tienes esta figura eres afortunada. Le llamamos también casi X, es cuando existe un equilibrio entre los hombros y las caderas.

Luce tu silueta y usa ropa ajustada aunque nunca demasiado para que no se marquen arrugas y pierdas elegancia, disfruta de las telas tejidas o de punto y si tu talle es correcto y tu peso ideal, también disfruta un "lindo bikini".

Figura tipo "A"

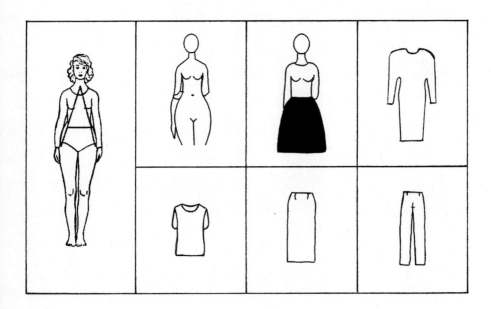

Como lo ves en el dibujo, las características especiales de esta figura son:

Hombros estrechos, cintura pequeña, caderas y muslos anchos.

A esta figura le llaman también forma de pera y la tienen muchas mujeres latinas.

Encontraremos el equilibrio de la siguiente forma:

En la parte superior: blusas con hombreras, martingalas, cuellos mariposa o solapas anchas, mangas con pliegues y un poco fuera del hombro.

Telas con textura y estampadas.

Las faldas y los pantalones serán con pocos pliegues, con pinzas y terminado recto, nunca muy ancho ni entubados, igual que las faldas.

Evitar: blusas con manga ranglán, hombros sin cuerpo, falda con mucho pliegue o demasiado llamativa.

Figura tipo "V"

Como el dibujo lo muestra, este tipo de cuerpo tiene los hombros anchos y las caderas estrechas, es muy común en las deportistas, sobre todo nadadoras. Normalmente las piernas son delgadas y las caderas son planas.

Para equilibrar la silueta:

Evita usar hombreras, martingalas, cuellos demasiado anchos y en ojal, collares demasiado llamativos, telas gruesas con muchos pliegues o textura en las mangas.

Las faldas serán con pliegues, pinzas o terminados en línea A, o acampanadas, nunca entubadas; pantalones siempre con pliegues, rectos.

Las telas podrán ser gruesas en las faldas y con estampado.

Figura tipo "O"

Este tipo de figura tiene busto, tórax y vientre un tanto prominente, ya que por lo general está pasada de peso.

Debe procurar usar estilos que den la ilusión de un tórax esbelto, nada que le ciña en la cintura, es decir, nunca la blusa fajada en la pretina a menos que se cubra con el saco, que no debe ser más largo que el final de la cadera ni pegado, para evitar destacar esta parte.

Usar hombreras que den equilibrio a la cadera, cuellos en V y collares largos.

Los vestidos camiseros y sueltos, los sastres que no sean cruzados ni entallados y el saco largo disimulan las redondeces. Si utilizas cinturón debe ser al mismo tono que el vestido y siempre aflojando para disimular el busto.

No te escondas en ropa demasiado floja, pues acentuarás tus curvas, ni uses ropa entallada.

Un pantalón y blusa al mismo color, con un saco flojo y largo en contraste te quedará muy bien.

Figura tipo "T"

Como el dibujo lo muestra, este cuerpo es bastante equilibrado, solamente que los muslos son anchos (chaparreras).

Por lo tanto trataremos de usar colores opacos en la falda o en el pantalón (Este último a menos que seas delgada).

Será con pinzas o pliegues terminando recto.

No usaras bolsas en el pantalón o falda ni cinturones con adornos.

Prohibida la ropa de punto o cualquier textura que se pegue.

Ningún saco o blusón que llegue a la cadera. Los sacos serán cortos y las blusas por dentro de la falda. Podemos usar hombreras si los hombros no son muy anchos.

Figura tipo "H"

Como el dibujo lo muestra, este cuerpo tiene balance, pero le falta cintura.

Podemos encontrar "gorditos" en la parte del talle, por lo tanto trataremos de:

Usar vestidos que no sean muy entallados; con cinturones obscuros pero no muy ajustados y siempre aflojando un poco el talle.

Los blusones o vestidos de talle largo ayudan bastante.

Las faldas tipo corneta o con detalle abajo, como algún volante.

Evitar: sacos cortos, blusas entalladas, telas con textura (son mejor las suaves como la seda, el chiffón, etc.)

Recomendaciones para las proporciones del cuerpo

* Cuello.

Si el cuello es demasiado largo, evita los escotes en V, en U y los pronunciados. Los collares y adornos largos. Usa escotes redondos, cuellos tortuga, las mascadas anudadas son excelentes para el cuello largo; collares pegaditos al cuello y aretes largos pero con volumen.

Si es corto será lo contrario y si también es grueso se deberán evitar las hombreras y el pelo sobre el mismo.

* Hombros.

Si estos son caídos hay que usar hombreras, tomando en cuenta el grueso del cuello. Manga con pliegues y con sisa, nunca sisa ranglán o mangas caídas o pegadas.

Si por el contrario son anchos, hay que usar escotes en V, sisa ranglán, evitar hombreras y martingalas, al igual que si son muy anchos. Si son estrechos los escotes en ojal son muy convenientes, evita los tirantes halter.

* Brazos.

Si los brazos son gruesos, gorditos, nunca se usa una manga con pliegues, ni demasiado corta o pegada ni con puño o adorno al dobladillo. Será lisa y dos dedos arriba del codo. La manga deberá caer del antebrazo, nunca pegada.

Si los brazos son delgados se hará justo lo contrario.

* Busto.

El busto debe estar exactamente a la mitad del hombro y el codo, Si es demasiado se sugiere usar un brassiere que lo abarque todo y de buena forma, para busto grande. No se usarán bolsas al frente ni escarolas en la blusa y los collares deberán ir hasta el comienzo del mismo, nunca encima. Si tienes poco se hará lo contrario.

* Cintura.

Si es gruesa no debes usar cinturón, más bien blusones o blusas por fuera, nada que llame la atención hacia ella. Si es angosta puedes usar cinturones más anchos y de colores vivos, ropa ajustada y ¡un lindo bikini!

* Caderas.

Si es prominente evita los pliegues o la falda muy ajustada. Las faldas sin pretina son favorecedoras al igual que algunas pinzas. Debe ser recta y no entubada. Si es ancha evita también pliegues y talles largos, nada que llame la atención hacia ellas. Si tu talla es de 36 en adelante, evita los pantalones ajustados y los mallones.

Las faldas con costura al centro adelgazan.

* Estómago prominente.

Evita las faldas y los pantalones ajustados o con demasiados pliegues. Las faldas circulares son buenas pues alisan el estomago y al terminar en círculo lo disimulan.

La pretina muy apretada hará que siempre se note el estómago aunque seas delgada.

Debe quedar flojita para que puedas "respirar".

* Talle.

La medida de la cintura debe estar a la mitad, entre la axila y la ingle. Si pasa de dos cms. hacia abajo, el talle es largo, si es menor la medida hacia el busto, es un talle corto.

Si el talle es largo, la pretina de faldas y pantalones deberá ser alta. Los cinturones al color de los mismos, no se utilizarán blusones ni blusas "desfajadas", el color obscuro irá en la falda y los claros y estampados de preferencia en la blusa.

Si es corto se usará la blusa por fuera, el cinturón al color de esta, blusones y talles bajos.

* Piernas.

Los colores obscuros en las medias las adelgazan y las claras las engordan. El natural neutro es el clásico. El largo del dobladillo va con la moda pero si las piernas son muy cortas evita la falda a media pierna y si son muy largas evita la minifalda al igual que si son muy gruesas.

El tacón debe ser proporcionado al ancho de tus piernas, si son muy delgadas y usas tacones anchos se verán mal.

Evita "las pulseras" en los zapatos si tus pantorrillas son cortas al igual que las valencianas en los pantalones, para que no den la impresión de que se acortan.

Talla correcta del sostén

La mayoría de las mujeres no saben realmente como debe determinar la talla correcta del sostén. Aquí te mostramos como saberla:

Tomate la medida debajo del busto, alrededor del tórax, en pulgadas:

- Si el número es impar, súmale al resultado 5
- Si es par, súmale al resultado 6
- Si es más de 33, súmale al resultado 3

Para elegir la copa, tomate la medida en la parte más sobresaliente del busto y réstale la medida debajo del busto.

- Si la diferencia es 0, la copa debe ser A
- Si es 1, B
- Si es 2, C
- Si es 3, D
- Si es 4, DD

   Ejemplo: Si la medida del tórax es 28, súmale 6 = 34
         y la medida del busto es 33, réstale   <u>33</u>
                                                    1

El resultado es talla 34 B.

Para determinar la medida correcta de un body suite:

- La copa debe quedar en su sitio aunque te quites los tirantes.

- Cuando caminas: el body suite no debe subirse ni encogerse.

- Cuando te sientes no debe hacerse bolas ni jalar las copas del sostén hacia abajo.

Guardarropa

Mucha gente piensa que para estar bien vestida debes tener el closet lleno de ropa y mucho dinero y están en un error.

Una vez que sabes tu forma de cuerpo, tu estilo y de preferencia los colores que más te favorecen, arregla tu closet:

Separa tu ropa en tres montones:

1) La que es de tu color, estilo y usas mucho porque te encanta.

2) La que no es de tu color y estilo pero te queda y te encanta.

3) La ropa del recuerdo: tu vestido de novia, la que usaste en tu luna de miel, la que se volverá a usar para cuando adelgaces, etc.

Esta ultima véndela, regálala o bien guárdala en el baúl del recuerdo, te aseguro que tienes meses sin usarla y seguirá sólo arrugándose y quitando espacio.

Después con los montones 1 y 2, haz combinaciones y ve todas las posibilidades. Te sorprenderás al ver cómo crece tu vestuario.

Los vestidos de dos piezas puedes intercambiarlos con otras faldas y blusas, lo mismo que los trajes sastres, etc.

Revisa tu ropa interior. Esta es la base del vestido, por lo tanto no dudes en invertir un poco más de dinero y tiempo para comprar lo mejor.

El brassiere de preferencia debe tener varilla ya que será el sostén del busto, debe cubrir todo el seno. No debe apretar ni sacar gorditos por ningún lado. Debe ser de buena calidad y muy femenino. A muchas mujeres les gustan de color beige —natural— pues la licra blanca se percude, además no se transparenta. Uno negro es necesario si tienes ropa de este color. También debes tener con tirantes intercambiables, por si el vestido es desisado y uno sin tirantes.

La pantaleta ideal es la de corte francés, de pierna alta, debe ajustar pero nunca apretar y no debe señalarse JAMAS debajo de la ropa y tampoco salirse de los pantalones aunque estos sean bajos.

Los fondos o medios fondos no deben mostrarse aunque sean muy bonitos. Estarán 5 cm. más arriba que la falda y si esta es abierta el fondo también lo será.

Las pantimedias siempre con lickra para que no formen arrugas o se abolsen. Si se rompe debes cambiarla de inmediato. Un consejo: Compra varias del mismo color, si se rompe una pierna, córtala del muslo, cuando suceda con otro par haz lo mismo y ponte las dos piernas aunque te quede el calzón doble, esto te ayudará a ahorrar.

Y ¡por qué no comprar una bonita pijama o un lindo camisón!, aunque duermas sola, siente el placer de tus prendas íntimas al descansar.

Comenzarás ahora a formar un guardarropa básico. Con la ropa que tienes, ve poniendo una a una las prendas sobre tu cama y anota lo que te faltaría para completar tu primera cápsula.

Estará formada por tres colores básicos. Si ya conoces tu estación, encontrarás las combinaciones de acuerdo a ella y si no, te servirán de ejemplo cuatro diferentes combinaciones que se señalan en las solapas de este libro.

Eso sí, tu imaginación se hará cargo de hacerlo crecer con los accesorios diversos que utilices.

Ahora, ¡practica!

En la siguiente página verás lo que es una cápsula de sólo diez prendas.

Ilumínalas según lo que tienes y compra lo que te haga falta para completarla.

En la hoja siguiente podrás leer las combinaciones que puedes hacer, por ejemplo la No, 1) 1+2+6 es igual a saco+falda+blusa (tu eliges los colores).

Cómo hacer una cápsula básica

10 PRENDAS, MAS DE 30 CAMBIOS

1   2   3   4

5   6   7   8

9   10   Opcional

Accesorios

Aprendiendo a combinar

Con estos sencillos ejemplos podrás hacer más de treinta combinaciones y verte siempre estupenda y diferente. Podrás planear tu guardarropa de una forma excelente. Usarás tres colores básicos para hacerlo, por ejemplo: Negro, rojo y blanco o en clima cálido rosa, azul y blanco. Ahora que si ya sabes qué estación eres podrás planearlo de acuerdo a tus colores.

Cuida que las texturas sean siempre compatibles, de acuerdo al clima.

Con los accesorios le darás versatilidad y colorido.

Combinaciones	
1.- 1+2+6	16.- 4+10
2.- 3+2+6	17.- 1+5+6
3.- 2+6+10	18.- 3+5+6
4.- 2+6+mascada	19.- 5+6+10
5.- 2+7+1	20.- 5+6+cinturón y mascada
6.- 2+7+3	21.- 5+7+1
7.- 2+9+1	22.- 5+7+3
8.- 2+9+mascada lisa	23.- 5+9+1
9.- 2+10	24.- 5+9+mascada cruzada
10.- 1+4+6	25.- 5+10
11.- 3+4+6	26.- 8+6+1
12.- 4+6+10	27.- 8+6+3
13.- 4+7+3	28.- 8+6+mascada
14.- 4+9+1	29.- 8+7+1
15.- 4+9+mascada lisa	30.- 8+7+mascada metálica y accesorios de noche
	31.- 8+7+tu imaginación

Tendrás dos pares de zapatos de piel, también de colores básicos. No te olvides de tener una gran variedad de mascadas, cinturones, collares, aretes, etc., esto será lo que haga la diferencia. Ahora prepárate a verte siempre elegante y bien vestida, goza tu guardarropa y proyecta la imagen que deseas y no olvides,

¡VISTETE DE ACUERDO A LA IMAGEN QUE DESEAS PROYECTAR!

Cápsula básica para la mujer invierno

Colores básicos: negro, borgoña y blanco.

1) Saco negro (lino o lana) traje sastre

2) Falda negra (lino o lana) traje sastre

3) Saco a cuadros o rayas blanco y negro

4) Falda blanca (recta o tableada)

5) Pantalón negro

6) Blusa blanca de seda o poliseda

7) Blusa borgoña de seda o poliseda

8) Falda borgoña (juego de la blusa anterior)

9) Blusa estampada en tus colores

10) Chaleco o suéter cerrado estampado en tus colores

Zapatos: 2 pares de piel, negros y borgoña, unos de tacón alto y otros de tacón medio.

Bolsa: De piel de color negro

Medias: Natural, Barley black, Negras, Soft Taupe

Accesorios: Cinturones, mascadas, collares, aretes, pulseras, chales, etc.

Cápsula básica para la mujer verano

Colores básicos: Azul marino, gris y palo de rosa.

1) Saco azul marino (lino o lana) traje sastre

2) Falda azul marino (lino o lana) traje sastre

3) Saco a cuadros azul marino y blanco suave

4) Falda blanca suave (recta o tableada)

5) Pantalón gris o azul marino

6) Blusa blanca de seda o poliseda

7) Blusa palo de rosa de seda o poliseda

8) Falda palo de rosa (juego de la blusa anterior)

9) Blusa estampada en tus colores

10) Chaleco o suéter cerrado estampado en tus colores Zapatos: 2 pares de piel, azul marino y, unos de tacón alto y otros de tacón medio

Bolsa: De piel azul marino

Medias: Natural, Soft taupe, Gris, Azul marino.

Accesorios: cinturones, mascadas, collares, aretes, pulseras, chales, etc.

Cápsula básica para la mujer otoño

Colores Básicos: Café rojizo, marfil y durazno.

1) Saco café rojizo (lino o lana) traje sastre

2) Falda café rojizo (lino o lana) traje sastre

3) Saco a cuadros café, y marfil

4) Falda marfil

5) Pantalón marfil o café rojizo

6) Blusa marfil de seda o poliseda

7) Blusa durazno de seda o poliseda

8) Falda durazno (juego de la blusa anterior)

9) Blusa estampada en tus colores

10) Chaleco o suéter cerrado estampado en tus colores.

Zapatos: 2 pares de piel, café y marfil, unos de tacón alto y otros de tacón medio

Bolsa: De piel café

Medias: Natural, juvenil, perla.

Accesorios: Cinturones, mascadas, collares, aretes, pulseras, chales, etc.

Cápsula básica para la mujer primavera

Colores Básicos: Camello, blanco perla, salmón.

1) Saco color camello (lino o lana) traje sastre

2) Falda color camello (lino o lana) traje sastre

3) Saco a cuadros camello con blanco perla

4) Falda blanco perla (recta o tableada)

5) Pantalón blanco perla o camello

6) Blusa blanco perla de seda o poliseda

8) Falda salmón (juego de la blusa anterior)

9) Blusa estampada en tus colores

10) Chaleco o suéter cerrado estampado en tus colores.

Zapatos: 2 pares de piel, camello y beige, unos de tacón alto y otros de tacón medio

Bolsa: De piel color camello

Medias: Natural, blanco perla, juvenil

Accesorios: Cinturones, mascadas, collares, aretes, pulseras, chales, etc.

Accesorios

En cuestión de accesorios, depende el gusto personal de cada quién. Recuerda que éstos serán tu huella individual, lo que marque la diferencia con cualquier otra persona.

Solamente toma en cuenta:

* Tus proporciones
* La calidad del accesorio
* La regla del 14 (Ver página)
* La ocasión

Las perlas y las mascadas, accesorios que nunca pasan de moda

Un accesorio clásico y por lo mismo que nunca pasa de moda es un collar de perlas, es por eso que pensé incluir en esta nueva edición este capitulo sobre los collares de perlas que estoy segura te será de mucha utilidad.

ALGO DE HISTORIA

Las primeras perlas se usaron en Egipto.

Luego las uso la Reina Isabel de España y se cree que le dio un collar a Cristóbal Colón para financiar su viaje.

Las perlas se han visto en los cuadros de las reinas y coronas a través de la historia y en 1935 las puso de moda Coco Chanel.

El vestido de novia de la actual Reina Isabel de Inglaterra tenía 10,000 perlas.

La perla mas grande hasta ahora se encontró en 1935 y medía 23 cms y peso 6.35 Kg.

PERLAS CULTIVADAS

El rey de las perlas es Mikimoto.

Las perlas son organismos vivientes y también mueren.

Las perlas se cultivan en las ostras. Se les coloca un pedacito de concha molida y la ostra empieza a cubrirla alrededor con nácar para protegerse de lo que le lastima.

Pueden ser analizadas por rayos X.

Para cultivarlas y controlar su crecimiento se colocan en una botella (chenisse bottle).

Se pueden cultivar varias perlas en una sola ostra.

Las perlas con forma de corazón, lagrimas, etc., se les coloca un pedazo de plástico con esa forma y la ostra va cubriéndolas de nácar a su alrededor.

Los productos que dañan a las perlas son antiácidos, pasta de dientes, el perfume, etc.

BRILLO

Se clasifican con mucho brillo o poco brillo. Las mas perfectas y que tienen mas presencia de oxigeno tienen mayor brillo.

LOS DIFERENTES COLORES

Rosadas, crema, plateada, gris, azul grisáceo, blanco y marfil.

LOS ORIFICIOS DE LA PERLA AL HILARLA

Al mirar estos orificios por donde pasa el hilo, uno puede darse cuenta si éstas son verdaderas o falsas ya que por el orificio se nota el nácar.

Se recomienda que se hagan nudos al hilar el collar, por seguridad, en caso de que se reviente el mismo.

PERLAS DE AGUA FRESCA (FRESH WATERPEARLS)

Son cultivadas en ríos y lagos.

COMO SABER SI SON FALSAS O NATURALES

Naturales: Al tomarlas están frías, si las muerdes no se descarapelan y se sienten ásperas.

Falsas: Al tomarlas están a la temperatura del ambiente, si las muerdes se descarapelan y son lisas

LARGOS Y TAMAÑOS DE LOS COLLARES DE PERLAS:

El tamaño regular de la circunferencia de las perlas va de 2 a 20 mm

Chocker length o gargantilla 14 a 16", 36 a 41 cm.

Princess Lenght o largo princesa, 17 a 19", 43 a 49 cm

Matinée length o largo de diario 20 a 24", 51 a 61 cm.

Opera lenght o largo para la noche 28 a 34", 72 a 86 cm.

Rope lenght o largo para amarrar mas de 45" 115 cm. (tipo charlestón)

CONSEJOS

COLLAR

Al escoger las perlas fíjate en el color de tus dientes para que sean del mismo tono de blanco al igual que el colorido del cabello, ojos y piel.

Mira tu estatura y proporciones.

Combina el color de la parte inferior de tu vestuario con el collar.

ARETES

Considerar el espacio del lóbulo de la oreja.

Que apunte el arete hacia la mandíbula.

Mientras mas ancha la estructura del rostro, más grande puede ser la joya.

Mascadas y bufandas

En seguida encontrarás diversas formas de usar las mascadas (pañuelos) , moños, corbatas, blusas, etc.

Existe un vídeo a la venta con más de 33 formas de utilizarlas (Ver al final del libro dirección de Armonía y Estilo).

Es el accesorio más versátil del guardarropa. El puede redefinir tu apariencia y crear estilos que sean elegantes, casuales, profesionales, deportivos o sofisticados...

Las posibilidades son ilimitadas dependiendo sólo de tu habilidad al amarrarla. En seguida encontrarás varios ejemplos de cómo usarla. Por supuesto esto es sólo un inicio, usa tu imaginación.

Chal de mariposa

- Dobla una mascada grande cuadrada por la mitad con el revés hacia afuera.

- Anuda las puntas de cada lado.

- Voltéala al derecho y mete los brazos por las aberturas.

En el hombro

- Una mascada grande se dobla a formar un triángulo.

- Colócala sobre el hombro.

- Introdúcela en el cinturón o bien hazle un nudo en la cintura.

Estola

- Una mascada rectangular sobre los hombros darán un toque de elegancia.

Clips especiales para las mascadas

Pechera anudada

1. Toma el centro de una mascada cuadrada por el revés.

2. Haz un nudo cerca de la orilla.

3. Voltea la mascada al derecho y forma un triángulo.

4. Colócala en el cuello y anúdala por detrás.

Invierno

Agradecimiento a Tiendas de Ropa JULIO

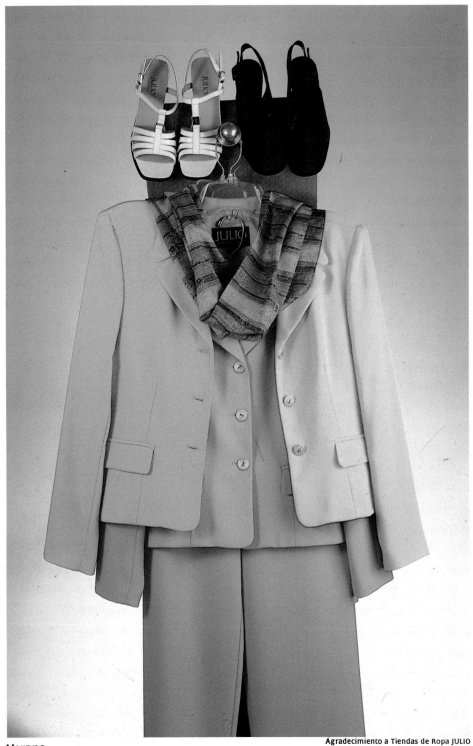

Verano

Agradecimiento a Tiendas de Ropa JULIO

Otoño

Agradecimiento a Tiendas de Ropa JULIO

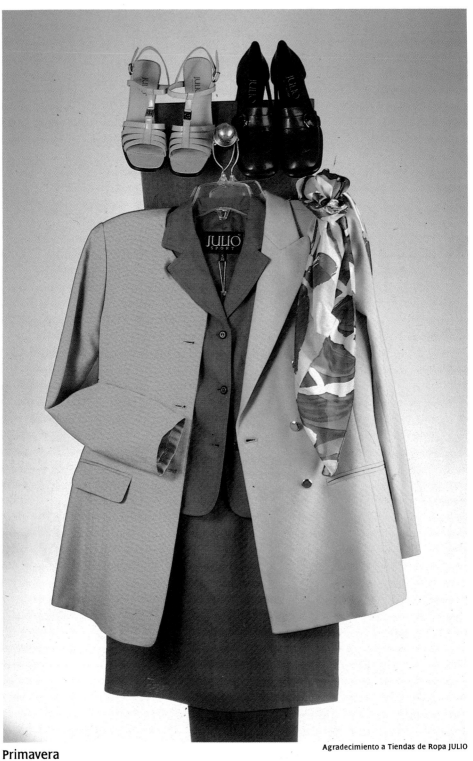

Primavera

Agradecimiento a Tiendas de Ropa JULIO

Pechera o cuello drapeado

1. Dobla una mascada formando un triángulo, coloca la punta al frente.

2. Cruza las puntas atrás del cuello.

3. Anúdala al frente usando un nudo ciego.

4. Para el efecto drapeado toma el doblez del centro y pasa sobre el nudo introduciendo las puntas en el escote.

Nudo corredizo

1 Pasa una mascada rectangular alrededor del cuello con una punta más larga que otra, haz un nudo sencillo en la punta más larga.

2. Pasa la otra punta a través del nudo y aprieta ligeramente.

El nudo cuadrado

1. Dobla una mascada cuadrada formando un triángulo, pasa una punta sobre la otra.

2. Pasa la punta superior alrededor y atrás de la otra. Pásala a través y aprieta.

3. El nudo puede quedar al frente, a un lado o a la espalda.

El nudo cortado

1. Dobla una mascada rectangular por la mitad longitudinal y colócala alrededor de tu cuello, introduce ambas puntas a través del doblez central.

2. De otra forma aprieta la mascada a un lado del cuello y forma un moño.

Abanico

1. Dobla una mascada cuadrada formando un rectángulo

2. Coloca alrededor del cuello y pasa una punta sobre la otra.

3. Para que parezca abanico, haz dobleces de acordeón. Acomoda los dobleces como abanico.

4. Para moño tableado, continúa hasta formar un nudo completo.

Moño

1. Usa una mascada rectangular cruza una punta sobre la otra, dejando la de arriba ligeramente más larga.

2. Toma la punta inferior y forma una lazada, pasa la punta superior por atrás y alrededor de la inferior.

3. Introduce a través de la lazada de atrás, otra lazada.

4. Aprieta el moño.

Para la cabeza

1. Dobla una mascada cuadrada a formar un triángulo y póntela en la cabeza. Cruza las puntas al frente, llévalas a la espalda y amárralas sobre la punta.

Otro para la cabeza

1 Dobla una mascada rectangular con cuerpo, a lo largo.

2. Colócala alrededor de la cabeza, dejando una abertura arriba.

3. Haz un moño al lado, arriba, abajo, hacia atrás...o amarra el moño en una cola de caballo.

Cubierta tableada

1. Toma una mascada rectangular y haz un nudo simple cerca de la punta.

2. Forma pliegues de acordeón al lado opuesto dejando suficiente mascada entre los pliegues y el nudo para que rodee el cuello.

3. Suelta los pliegues de una mano reteniéndolos con la otra.

4. Coloca la mascada alrededor e introduce la punta tableada en el nudo en dirección ascendente.

5. Aprieta el nudo y coloca las tablas en forma de abanico.

Cuadrada grande en la cintura

Una blusa más

Consejos para comprar mejor y vestir bien

1. Asegúrate que lo que vas a comprar satisface tus necesidades y no solamente tu gusto, piensa en tu presupuesto.

2. Nunca olvides tu cartera de color si ya te hicieron el análisis, el ojo engaña.

3. Antes de comprar toma en cuenta tu estilo de vida y piensa en lo que cuesta la prenda y cuánto vas a utilizarla.

4. Cuidado con las baratas, recuerda que a veces "lo barato cuesta caro".

5. No vayas de compras si estás deprimida o te sientes mal. En estos momentos mejor ve a visitar a una amiga, al cine o ponte a leer un libro divertido.

6. Ve de compras bien vestida. Te sentirás sensacional y te tratarán mejor. De preferencia si vas por algún vestido especial, lleva los zapatos y la ropa interior adecuada.

7. Los artículos que compres de tus colores básicos serán de la más alta calidad, recuerda que las fibras naturales, como la seda, lino, rayón, algodón, etc., siempre proyectan una mejor imagen.

8. Revisa cada mes tus zapatos y llévalos al zapatero si es necesario.

9. No descuides jamás tus manos, son el toque de la mujer elegante.

10. Ahora, ponte el accesorio que te hará mas bella: LA SONRISA.

Consejos básicos del buen vestir

- El maquillaje debe ser natural, de acuerdo a la edad, ocasión y época.

- El cabello es el marco del rostro. Cuídalo y córtalo cada seis u ocho semanas, cepíllalo todos los días.

- Las medias deben usarse en cualquier ocasión (salvo en lugares de mucho calor y fuera del trabajo) con faldas o pantalones, delgadas en el verano, más gruesas para el invierno. Deben ser mas claras o al color de los zapatos, negras solo con zapatos negros.

- Los zapatos de charol son de invierno y época de lluvia. Para fiesta de noche: en verano de raso y en invierno de ante o terciopelo. Debes revisarlos y enviarlos al zapatero si es necesario.

- La bolsa de asa larga debe llegar al doblez de la pierna (la ingle) y no ser más grande que tu proporción.

- Antes de salir, mírate al espejo de cuerpo entero y está segura de que la imagen que proyectas es exactamente la que tú deseas.

Cuando arregles tu clóset...

Por la experiencia hemos visto que después del análisis de color, tardamos aproximadamente dos años en tener el guardarropa casi totalmente en nuestros colores, ya que a partir de hoy todo lo que compremos será de los mismos, pero de momento haremos un plan para comenzar a mejorar lo que ya tenemos.

1. Esta es la ocasión para arreglar el clóset. Podremos inclusive pintarlo si es necesario.

2. Saca todo lo que tienes. Elimina todo lo que no te gusta, esté pasado de moda o muy usado, lo que no es de tu talla o no te hace sentir muy bien y lo que no es de buena calidad y sepáralo como lo leíste en páginas anteriores.

3. Piensa cuál es tu estilo de vida y cuáles son tus actividades, para que separes la ropa de acuerdo a ellas: deportes, descanso, trabajo, fiestas, etc.

4. Adquiere ganchos múltiples para blusas, pantalones y faldas, ahorran mucho espacio. Trata de tener todo a la vista, de otra forma hay prendas que se olvidan.

5. No compres sin pensar. Recuerda muy bien lo que tienes para que todo combine con todo.

La meta al arreglar el clóset y renovar tu guardarropa debe ser tenerlo de calidad y funcional, con piezas intercambiables entre sí, que combinen y te hagan ver siempre diferente. Si estás bien vestida, esto ayudará a aumentar la confianza en ti misma.

Debes revisar el dobladillo, los botones o broches, el cierre y cuidar que no haya ninguna mancha, para que todo esté siempre en perfecto estado.

Regla del 14

Accesorios	Descripción	Puntos
Vestido o traje	Negro, café, ó, azul marino	1
Vestido o traje	Gris, beige, blanco	2
Vestido o traje	Color brillante	3
Vestido o traje	Cuadros, estampados, tweed	4
Saco	Liso	1
Saco	Con adornos o botones	3
Blusa	Color contrastante	2
Blusa	Con botones o adornos	3
Sombrero	Con flores	3
Sombrero	Liso	1
Guantes	Liso (noche o invierno)	1
Guantes	Dos colores (noche o invierno)	2
Zapatos	Zapatilla lisa	1
Zapatos	Con adornos	2
Reloj	Sencillo	1
Reloj	Con adornos	2
Pulsera	Cadenitas similares	1
Pulsera	Brazalete grande	2
Collar o cadena	Sencillo	1
Collar	Con varias cadenas	3
Anillos	Por pieza	1
Anillos de boda	Grupo de compromiso y argolla	1
Aretes	Chicos, lisos	1
Aretes	Grandes con adornos	2
Prendedor	Con perlas o piedras	2
Prendedor	Pequeño	1
Mascadas	Lisas o estampadas	2
Adorno en el cabello	Moño o flores	1
Anteojos	Por prescripción	1

La bolsa y los lentes obscuros no siempre se cuentan, ya que son prendas que se quitan continuamente. Recuerda de no ponerte estos últimos en lugares cerrados o cuando hablas con otra persona.

De seis a nueve piezas es equilibrado, sobrio y elegante.

De diez a catorce piezas es equilibrado, elegante y tope.

De quince en adelante es recargado, hay que eliminar.

De esta forma nunca te pasarás, si eso sucede, pregúntate: ¿qué me quito?

4

Comportamiento adecuado en la vida diaria y en los negocios

Aunque en la actualidad se han relajado bastante ciertas costumbres y reglas, no podemos negar que los buenos modales y la fineza de las personas nos agrada a la mayoría. Hay personas que nacen en un ambiente en el que se llevan a cabo todos los cánones, pero esto no impide que todos podamos aprender las reglas del buen comportamiento, mismas que tienen orígenes muy antiguos.

Cuando una persona trabaja en contacto con el público, es no sólo una necesidad sino una obligación el saber por lo menos las generalidades de la etiqueta y el buen comportamiento, es por eso que hemos escrito este libro, recopilando datos y tratando de explicar estas formas de la manera más sencilla para poder ponerlo en práctica en todo momento.

A continuación encontrarás tanto las reglas del protocolo como los detalles más sencillos de como recibir en casa. Conocerás también de donde vienen los vinos y cómo y con qué se sirven.

Comprobarás qué fácil y agradable resulta todo esto, ahora sólo te falta.

Ponerlo en práctica

La cortesía

La vida, por breve que sea, nos deja siempre tiempo para la cortesía.

Huye de las gentes que te dicen: "Yo no tengo tiempo para gastarlo en etiquetas". Su trato te rebajaría. Estas gentes están más cerca de la animalidad que las otras. ¡Qué digo! La animalidad se ofendería. El perro jamás te dejará entrar sin hacerte fiestas con la cola, el gato mimoso y elástico, en cuanto te vea irá a frotarse contra ti. El pájaro parecerá escuchar con gracioso movimiento de cabeza lo que le dices, y si percibe en el metal de tu voz la cariñosa inflexión que él conoce, romperá a cantar.

La cortesía es el más exquisito perfume de la vida y tiene tal nobleza y generosidad que todos la podemos dar; hasta aquellos que nada poseen en el mundo, EL SEÑOR DE LAS CORTESÍAS les concede el gracioso privilegio de otorgarla.

¿En qué abismo de pobreza, no puede caber la amable divinidad de la sonrisa, de una palabra suave, de un apretón de manos?

La Caridad, opulenta o humilde, lleva siempre el ropaje de la cortesía y la santidad mas alta y no podemos imaginarla sino infinitamente cortés.

AMADO NERVO

Extracto

Saludos y presentaciones

El inicio de las relaciones siempre es con un saludo o una presentación, por lo cual debemos poner especial atención al hacerlos.

Los hombres deben ser presentados a las mujeres, si se trata de dos personas del mismo sexo se presentará el más joven al mayor. Si el varón está sentado, deberá levantarse de inmediato al serle presentada cualquier persona. Cuando presentamos a alguien diremos el nombre y si es posible el primer apellido. Trataremos de hablar claro y no entre dientes para que nos escuchen, podemos usar frases como: Sr. X le presento a la Sra. F y como respuesta podría ser: Mucho gusto, encantado/a, es un placer, etc. Debemos acompañarlo de una sonrisa, un apretón de mano y una firme mirada.

El saludo de manos debe ser breve y firme, no hay que apretar demasiado, columpiarla, tardarla, dar sólo la punta de los dedos, cruzarla, etc., será toda la mano.

El varón no debe tender la mano a una mujer, a un superior o a una persona mayor, sino esperar a que ellos lo hagan.

En otros tiempos se uso el beso en el dorso de la mano femenina, pero es una costumbre ya rara y más bien en desuso. Ahora se estila mucho el saludo con un beso, pero realmente es una práctica que debe ser sólo con personas de confianza.

El hablar de usted siempre significará respeto y cortesía. Debemos evitar el tuteo si la persona con la que hablamos no lo solicita. Entre amigos, colegas o personas de la misma edad está permitido.

Trataremos de no usar diminutivos, expresiones que puedan molestar a alguna persona en un momento dado como: mi reina, mi amor, gordita, chula, nena, etc., ya que estas expresiones sólo se hacen con personas muy allegadas.

Al entrar o salir de cualquier lugar: oficina, recepción, elevador, etc., diremos buenos días, tardes o noches, creando así un ambiente grato, aunque tal vez a los demás les llegue a parecer extraño.

Algo muy importante es mirar a las personas a la cara y si es posible a los ojos cuando les saludemos o bien nos despidamos.

Al retirarnos de un grupo no es necesario despedirse uno por uno, podremos hacer una "cordial despedida" general.

Recordaremos que el saludo no se le niega jamás a nadie, que la amabilidad y cortesía debe comenzar en casa y que en cualquier lugar, sin rango ni jerarquía debemos saludar.

Aprender a escuchar

Al escuchar a los demás demostramos respeto e interés por las personas. Les damos la oportunidad de decir sus ideas y así los conocemos, al mismo tiempo nos enriquecemos. Debemos ser atentos, amables y comprensivos; trataremos de verlos a los ojos y no a otros lados, no debemos estar indiferentes o inquietos, ni viendo el reloj o interrumpir para cortar la conversación. Expresaremos nuestro interés con gestos, miradas amables, exclamaciones y breves observaciones. No interrumpiremos a menos que sea necesario para que nos expliquen algo con más claridad.

En la asistencia a una conferencia, trataremos de estar atentos al orador; si nos aburre disimularemos y trataremos de cambiar la postura. No se debe estar moviendo las piernas, las manos ni algún objeto (pluma, lápiz, papel, etc) que pueda distraerlo. Si deseas hacer preguntas, seguiremos las reglas impuestas, pues en algunos casos está permitido levantar la mano e interrumpir, pero en otros esto se reserva para el final.

La comunicación es muy importante, y no debemos hacer monólogos ni acaparar la conversación, trataremos de que haya diálogos y tener conversaciones gratas que interesen a los demás. Se evitarán risas burlonas, carcajadas o sarcasmos, las palabras vulgares o altisonantes, NUNCA en ningún momento están permitidas al igual que los apodos, las bromas y los chistes de doble sentido.

"Con la forma de escuchar y hablar damos a conocer gran parte de nuestra personalidad"

Puntos básicos para la buena educación

Puntualidad

"El tiempo es mi vida y quién no respeta mi tiempo, no respeta mi vida"

El ser puntual es virtud de "caballeros". Tan mal hace alguien en llegar tarde, como en adelantarse a cualquier cita. Es de vital importancia tomar las precauciones necesarias para cualquier imprevisto y tratar de llegar diez minutos antes a cada cita.

Si la persona no llega, esperaremos solamente quince minutos ya que debemos demostrar el valor de nuestro tiempo.

Si por algún motivo vamos a retrasarnos o no podremos asistir a la cita deberemos avisar cuanto antes.

Si tenemos un reloj con alarma, tendremos cuidado de no hacerlo sonar cuando estemos en una reunión.

Tabaco

No se debe fumar en lugares cerrados. Si en el grupo hay quien no fuma, evitaremos hacerlo y saldremos a otro sitio. Cuidaremos de no regar la ceniza o utilizar cualquier cosa en lugar del cenicero, así como pisar el cigarrillo. Se solicitará un cenicero en caso de ser necesario. Al abrir la cajetilla ofreceremos a los demás por cortesía, por si alguien desea fumar. Nunca se fuma a la hora de la comida, ni a la mitad. Si acaso se hace será una vez que todos han terminado, preguntando si no les molesta sinceramente.

Escritura

Recordemos que por ésta se conoce nuestra cultura y fineza. Por lo tanto, lo haremos siempre en un papel blanco y tal vez membretado. Si la carta es formal o de negocios, se hará a máquina y con las reglas a seguir. Si es un agradecimiento o felicitación y tenemos buena letra, lo mejor será hacerlo a mano, con una buena pluma y con el papel más adecuado según la persona que lo escribe y a quién se le envía.

ANÉCDOTA HISTÓRICA HUMORÍSTICA: Cuando yo escribí este libro ¡lo hice en mi máquina de escribir! Después lo pase a la computadora en un DISQUETTE, ahora que hago la nueva edición sé que esto ya no se usa, así es que ahora HAZLO EN TU COMPUTADORA, sin embargo CASI todo lo demás sigue vigente

Es muy conveniente tener tarjetas con nuestro nombre. Si se utilizarán para agradecimientos o para enviar regalos, llevarán grabado solamente el nombre. Si son de presentación, estará el nombre, la dirección, el teléfono y el giro y logotipo de la empresa que representamos.

Escritura electrónica

Demuestra tu cultura y educación también al escribir al enviar y contestar correos electrónicos "e-mails".

Abre diariamente tu correo, cuando recibas un mensaje, respóndelo inmediatamente, si no puedes darle respuesta simplemente dile que le contestarás más tarde, agradécelo, pero nunca lo dejes sin respuesta y eso si, contesta en cuanto puedas.

Evita enviar cadenas y elementos que quiten el tiempo sobre todo a personas que sabes que esto les desagrada. Mantén en orden tus archivos y carpetas para que esto no te quite el tiempo, ya que se ha comprobado que ahora esto es un gran distractor –claro que si te sobra tiempo o es para ti eso, un pasatiempo, disfrútalo o ponlo en tus actividades agendadas pero cuidado, puede volverse una adicción peligrosa.

Visitas a un hospital

Estas deben ser breves y silenciosas. Recuerda que son enfermos los que ahí están. Debes ser prudente en lo que conversas y en las preguntas que haces. NO FUMAR, ya que esto contamina el hospital y hace más lenta cualquier recuperación. Si llevas un regalo trata de que sea apropiado pues algunas veces cometemos errores como "llevar una caja de chocolates a un enfermo del estómago".

Teléfono

"El teléfono se hizo para acortar distancias, no para alargar conversaciones" dice un refrán. Esto es cierto, no sólo por el costo económico por pagar, sino porque podemos perder grandes negocios por una llamada que no puede recibirse por estar ocupado o bien porque se contesta mal. Cuando hablamos por teléfono expresamos nuestro estado de ánimo y transmitimos a la persona que está en la línea opuesta lo que estamos sintiendo. Es muy conveniente sonreír todo el tiempo, escuchar con atención y contestar con una buena dicción. Es importante identificarnos al contestar, decir el nombre de la empresa y algo como "gracias por llamar", "buenos días", etc.

Cuando alguien llega y estamos al teléfono, decimos un momento a la persona que está presente y tratamos de cortar lo más pronto para atenderla. Hay que tomar nota de todas las llamadas que se reciben y un control de las que salen.

Teléfono celular

Ahora es imprescindible, pero para llamadas de emergencia. Es de muy mal gusto estar con otra persona y ponerse a hablar en el, ponerlo sobre la mesa y hacer lo mismo cuando estamos con un grupo. En este caso debemos pedir disculpas, levantarnos y atender el asunto en privado. Debe mantenerse siempre apagado cuando entramos a cualquier evento público: teatro, cine, templo, etc. Pon el buzón y escucha los mensajes, dales respuesta en cuanto puedas, no dejes de contestarlos.

Recuerda que no debes usarlo al manejar, debes tener el manos libres, tanto para hablar como para marcar, no porque esté prohibido sino por las consecuencias graves que se pueden tener al usarlo en estas circunstancias.

Expresión corporal

La seguridad en uno mismo se demuestra a cada momento. Las actitudes mentales se reflejan en gran parte en las expresiones de nuestro cuerpo. Ya lo leíste en capítulos anteriores como con tus movimientos expresas gran parte de tu imagen y de lo que quieres proyectar.

A través de las posturas que adoptamos en cada momento nos damos a conocer. En ellas expresamos de forma más real mucho de nuestro carácter.

El cuerpo debe estar erguido, cuidando desde los hombros, pasando por las rodillas hasta llegar a los pies, que estarán ligeramente separados de las puntas.

Estando de pie nunca nos apoyaremos en la pared o los muebles. Los brazos deberán estar al caer del cuerpo, no cruzados ni con las manos dentro de las bolsas.

Las manos deberán estar quietas, pues el estarlas moviendo indica nerviosismo. Nunca se estiran los brazos en señal de flojera. Al estar sentada, se tendrá la espalda recta, apoyada en el respaldo, las piernas en ángulo recto (el cruzarlas es malo para la circulación). No se columpiarán los pies, ni las sillas, ni se ponen los pies en el travesaño. Tampoco se deben estirar las piernas o hacerlas nudo.

Al sentarte no debes dejarte caer como si estuvieras cansada. Las manos estarán sobre el regazo y evita jugar con cualquier objeto o llevarlas a la nariz o al cabello. Al sentarte o levantarte debes mover la silla sin hacer ruido ni arrastrarla.

Un caballero siempre ayuda a la dama con la silla al momento de sentarse y una dama espera siempre a que el caballero lo haga.

El caballero cederá siempre el asiento a la dama, a menos que éste sea mucho mayor que ella o bien esté enfermo y la dama siempre lo acepta.

Al caminar tratarás de hacerlo con la cabeza en alto, viendo al frente, los hombros rectos pero sin echarlos hacia atrás, los pies ligeramente hacia afuera y apoyando el talón en el suelo sin arrastrarlos. No se deben abrir mucho las piernas al caminar, lo ideal es pensar que existe una raya y que cada pie va a un lado de la misma, uno primero y otro después.

Los brazos y las manos a los lados de una forma natural sin que se vean desgarbados.

Hay que evitar el caminar muy lento así como correr.

Siempre estarás viendo hacia el frente para evitar tropezar o caer, evitar ir viendo hacia abajo.

Al subir la escalera se apoya todo el pie en cada escalón y nunca se hace "de dos en dos".

Es muy importante que en la expresión corporal el varón tenga siempre actitudes altamente varoniles, así como las damas serán siempre extraordinariamente femeninas.

La bolsa en el caso de las damas, irá al hombro colgando o bien bajo el brazo.

El portafolios se llevará en la mano, éste siempre nos dará la categoría de ejecutivos.

Etiqueta para una celebración

Es muy importante que al recibir una invitación antes que nada se confirme tu asistencia o avises si no puedes asistir por lo menos quince días antes del evento.

La mayoría de las veces los boletos traen unas letras: RSVP: que significan en francés: Repondez s'il vous plait, Responda por favor y esto es un código en todo el mundo.

Los anfitriones necesitan saber con cuantas personas cuentan y es muy desagradable que ellos tengan que estar llamando para saber si asistirás. Resulta que en muchas ocasiones se quedan los lugares vacíos y personas sin invitar por la falta de educación de quien no avisa oportunamente.

Generalmente en el boleto también indican la forma en la que debes ir vestido:

ETIQUETA RIGUROSA:
El varón debe llevar smoking* y la dama vestido largo.

ETIQUETA
El varón traje obscuro y la dama vestido largo o corto de cocktail.

CASUAL

El varón de traje o combinación y la dama con traje sastre o cualquier vestido de acuerdo al clima y al lugar

INFORMAL

No hay ningún código especial

Para una ceremonia en jardín a medio día el varón puede llevar saco blanco o color beige con pantalón negro, gris o azul marino o bien traje claro, la mujer un vestido estampado de acuerdo a la ocasión, pero nunca brillante ni con pedrería. Puede usar sombrero. En la actualidad se estila mucho que el varón utilice la Guayabera que es una prenda mexicana, en lugares de calor.

En México, los varones usan el Frack y el Jacque (o Chaque) solamente en etiqueta rigurosa y lo llevan solamente el novio, los papás y padrinos en una boda. El primero es negro y se usa de noche, el segundo es gris obscuro combinado con el pantalón a rayas y se usa en una ceremonia de día o tarde, ambos con su respectivo chaleco y corbata y camisa blanca.

*SMOKING

El nombre real de esta prenda es TUXEDO y su origen es inglés, es el traje que los hombres usaban para ir a "fumar", de ahí viene el nombre.

Es una prenda muy elegante que se usa en cualquier ocasión de etiqueta. Es negro de lana 100% y lleva saco con solapas y botones de raso al igual que el pantalón una raya lateral.

La camisa es blanca cón algunas alforzas al frente y tiene el cuello duro de "paloma" y se le pueden poner botones haciendo juego con las mancuernillas. Se usa con corbata de moño al igual que la faja también de raso negro.

Algunas veces los jóvenes utilizan la faja y la corbata en colores.

Los zapatos deben ser Oxford en charol.

Los calcetines negros delgados.

5

Etiqueta en la mesa

La palabra etiqueta es sinónimo de protocolo y se utiliza para marcar los cánones o reglas de la buena educación según la sociedad y la tradición.

Esto abarca todo lo que se refiere al respeto de sí mismo y de los demás, ya que si sabemos seguir estas reglas podremos convivir sin ofender a nadie y por el contrario mantendremos una armonía total.

Todo lo que has leído anteriormente se refiere a la imagen física y la expresión corporal, lo que leerás a continuación corresponde al comportamiento básicamente en la mesa y las reuniones y eventos donde hay alimentos.

Estoy segura de que recordarás situaciones en las que no has sabido comportarte simplemente por desconocimiento de estas reglas básicas.

A continuación encontrarás de una forma sencilla la explicación de cada elemento que te ayudará a no volver a pasar ningún apuro.

Recuerda querido lector, lectora que cuando hacemos hábitos nos es mucho más fácil actuar naturalmente, así es que te sugiero que te acostumbres a tener "buenas maneras" en tu casa, en tu oficina y en todo momento: no olvides organizar una comida y una cenita con tu familia de vez en cuando usando todos los implementos que a continuación te mostramos para que gocen juntos como si estuvieran ¡de fiesta!

Algunas reglas generales para recibir en casa y comportarse en la mesa

Lo más importante de una fiesta es el cariño y el calor que se perciba de los anfitriones, por lo que se deberán abrir junto con las puertas de la casa, las puertas del corazón.

Debemos pensar en los invitados y por ello tratar de que tengan algunos intereses en común.

Hacer grupos no muy grandes, estarán mejor atendidos, a menos que sea un brindis o coctel donde se puede recibir con comodidad a mas personas.

Se sugiere no dar menús exóticos o irritantes y balancear los alimentos. No experimentar platillos nuevos.

Es bueno llevar un récord de lo que damos a cada grupo para evitar repeticiones.

Con tiempo poner la mesa, flores frescas, cigarros disponibles (ojalá nadie fumara pero no es así).

Lugares asignados en la mesa

Al pasar a la mesa se dará preferencia a las personas de más respeto, edad y a las damas, seguidas por la anfitriona. Ella deberá indicar los lugares.

En una mesa rectangular, los anfitriones irán en las cabeceras, el invitado de honor, de mayor edad o jerarquía a la derecha del anfitrión y la esposa a la derecha de la anfitriona; aquí se vale separar a los matrimonios. Después continuarán alternados varón-dama, varón-dama en orden descendente.

En los dibujos a continuación se podrá apreciar mejor el orden de las posiciones que deben ocupar en la mesa los invitados, tomándose en cuenta la letra V como varón y la D como dama.

El caballero ayuda de pie a la dama de su derecha a sentarse.

El servicio empezará por la dama que se encuentre a la derecha del anfitrión, después todas las damas y al final los caballeros.

Si alguien llega tarde estando ya sentados, no se levantará nadie, ni el saludará de mano, sino en general.

Al sentarse, no quedar muy cerca ni muy retirado de la mesa.

La servilleta debe colocarse sobre las piernas.

Recuerda que el protocolo cambia algunas veces de acuerdo a los países, por lo tanto si tienes invitados extranjeros y te surge alguna duda, acude a la Embajada o bien a Relaciones Exteriores para pedir información.

Una vez que todos están sentados, es la anfitriona quien dirige a los meseros y quien comienza a comer; será la última en terminar, lo hará al ritmo de los comensales, tratará de levantarse lo menos posible.

Al final de la comida o cena, la anfitriona no deberá romper el encanto de una animada conversación levantándose o poniéndose a recoger. Los postres, el café y los licores pueden servirse en la mesa, que deberá estar limpia y sin ningún plato anterior. Se sirve en una charola que llevará las tazas con los platitos y cucharitas correspondientes, cremera y azucarera que pueden hacer juego o no, siendo de plata o algún cristal fino. La cucharita o pinzas para el azúcar según lo requiera y una jarra con agua caliente o bien la cafetera con el café ya preparado, o bien el descafeinado en una cafetera pequeña. Puede ofrecer también té.

Los licores se pasarán también en una charola, pueden ser varios y se pondrán las copas correspondientes en la misma, para que los invitados puedan elegir.

Se sugiere dar unas mentitas o chocolatines de menta.

Si hay una conversación demasiado álgida, que se desee interrumpir es el momento más conveniente para pasar a la sala a la "sobremesa" y además para que se pueda recoger la mesa.

No olvides que al marcharse los invitados se les deberá acompañar hasta la puerta para despedirlos.

Cómo arreglar una mesa

Desde luego hay muchas formas de arreglar una mesa, dependiendo de la imaginación de la anfitriona y de los invitados que se recibirán, lo mismo que de la ocasión. Se sugiere que si los invitados son más de doce, se sirva buffet.

Se usará un mantel que combine con la vajilla, de preferencia blanco o color crudo liso y/o con algún bordado y un bajo mantel de color. Antes de éste siempre va una base de fieltro o molletón, para protección de la mesa y dar más cuerpo al mantel. Se pone al centro un arreglo floral procurando que no sea más alto que las copas. Este se puede sustituir por un bonito frutero con frutas de la estación, —esto sólo en desayuno o comida—; las flores o frutas deben ser naturales de preferencia, hay que evitar los artificiales. Estos deben ser sencillos.

Entre una persona y otra debe existir un espacio mínimo de sesenta centímetros, para que puedan actuar con comodidad. La anfitriona puede colocar una tarjetita con el nombre de cada persona en el que será su lugar.

Los ceniceros deben ser pequeños. En ocasiones algunas personas tienen el mal gusto de fumar antes de terminar la comida, la anfitriona sabrá quienes son. Lo correcto es que al terminar la comida se retire el plato de pan y en su lugar se coloque un cenicero para cada dos personas.

Los palilleros nunca se ponen en la mesa, si en el baño de visitas.

El mantel individual se puede usar si son pocas personas y es informal o bien si queremos lucir una bonita mesa de marquetería o cristal.

El servicio en cada lugar

El servicio por persona se compone de: un plato base que puede ser de plata, plateado, cobre o mimbre según la ocasión; un plato grande extendido, para la carne o plato fuerte, encima otro plato extendido para crepas o sopa seca; sobre éste se colocará el plato sopero o bien uno más pequeño para el entremés, el coctel o el consomé. Si la sopa es espesa, el plato es semiplano, poco hondo, si es caldosa (con verdura, gazpacho, consomé) se sirve en un tazón que tiene dos asas: con la cuchara se come lo consistente y el líquido se puede beber.

Las servilletas se colocan a la izquierda, dobladas y en algunas ocasiones se puede hacer de ellas un adorno. (Véase dibujos y explicaciones en las páginas siguientes).

Al frente y a la izquierda se coloca un pequeño plato para el pan, con un trocito de mantequilla y el cuchillo correspondiente, se pueden poner unos palitos de queso o galletitas. Si el espacio de la mesa es pequeño se puede prescindir de éste y poner una panera al centro.

Los cubiertos se colocan en el siguiente orden:

A la derecha la cuchara sopera, cuchillos con el filo hacia adentro y en el orden que se van a utilizar.

A la izquierda los tenedores, de la misma forma y los del postre irán al frente. (Como lo indica el dibujo).

El servicio de copas, se coloca de la siguiente manera:

Alineada al cuchillo para carne, la copa de vino blanco, enseguida la de tinto y al final la de agua —que siempre se mantendrá llena hasta las tres cuartas partes—, todas hacia la izquierda. En caso de que se sirva champagne, la copa va antes de la del agua. La de licor se deja para después, junto con el postre. (Véase dibujo).

Es muy importante que si se sirven alimentos que se comen con las manos, como algunos mariscos, alcachofas, etc., al terminar se pase un plato pequeño con un cío (platito lava dedos), con agua tibia hasta la mitad y una rodaja de limón o una flor natural. Se secará con la servilleta y el mesero le dará una limpia. (Véase dibujo).

Si el sabor del entremés es muy fuerte, se servirá antes del siguiente platillo una bola de nieve de limón en una copa pequeña, llamada sherbet (sorbete), para suavizar el sabor y poder degustar el platillo siguiente.

Los saleros se pondrán individuales o uno para cada dos personas. Siempre en juego con el pimentero, como "hermanos".

El cambio de platos deberá hacerse de uno en uno. Lo mejor es que haya personal de servicio para que la anfitriona pueda disfrutar de sus invitados.

Al terminar la comida, después del postre, lo mejor es pasar a la sala a tomar el café, las tazas se llevarán ya servidas, en una charola, donde estará el azúcar y la crema. Es de buen gusto que la anfitriona lo sirva y ofrezca unas mentitas. Los licores (vinos digestivos) los ofrecerá en estos momentos el mesero.

En tiempo de Navidad o algún evento especial como boda, bautizo, primera comunión, etc., se pondrán adornos alusivos al festejo.

Varios tipos de servicio

Los cubiertos

Estos se identifican por su tamaño y se clasifican de la siguiente forma:

TENEDOR STANDARD O DE MESA: Es de uso diario para todas las comidas, carnes, aves y verduras. Es de tamaño mediano.

TENEDOR PARA OSTRAS O CAMARONES EN COCTEL: Es un tenedor pequeño, delgadito. Casi siempre se pone en el platito del coctel.

TENEDOR PARA PESCADO: Es de tres o cuatro dientes o bien con unas muescas a los lados.

TENEDOR PARA ENSALADA: Es de la misma forma que el de uso diario, pero más pequeño o bien con sólo tres dientes.

TENEDOR PARA PASTEL: Es casi igual que el de ensaladas, mas pequeño.

TENEDOR PARA CARACOLES: Es pequeño, con sólo dos dientes, para facilitar comerlos. Se acompañan de una pinza para sostenerlos.

TENEDOR PARA LANGOSTA: Es un poco mas grande que el del coctel, pero mas pequeño que el de ensalada, cuando ésta se sirve con piel, se da aparte del tenedor una pinza especial.

CUCHARA SOPERA: Se le da este nombre porque su uso es exclusivo para la sopa, es de forma ovalada.

CUCHARA PARA CONSOME: Es igual de tamaño que las anteriores, pero redonda.

CUCHARA PARA POSTRE: Casi siempre se le llama cucharita o cucharilla, pues es igual a la sopera pero más pequeña.

CUCHARA PARA CAFÉ: Es de la misma forma que la anterior pero bastante más pequeña, para el expréss se usará la de té.

CUCHARA PARA TÉ: Es igual a la de café pero mucho mas pequeña.

CUCHARA MEZCLADORA, PARA HELADO: Es de forma alargada y pequeña, el mango es mucho más largo que las anteriores.

CUCHILLO STANDARD O DE MESA: Tiene poco filo, se coloca junto al plato, con el filo hacia adentro y se usa con cualquier alimento.

CUCHILLO PARA CARNE: Es de forma puntiaguda y con filo en un lado, se usa sólo para carnes.

CUCHILLO PARA FRUTA: Es igual que los anteriores, pero más pequeño.

CUCHILLO PARA PESCADO: Este es de forma diferente y sin filo. Hay de dos tipos (véase dibujo) Uno es como pala y otro con una muesca. No se usa para partir, sólo para separar espinas y piel.

CUCHILLO PARA MANTEQUILLA: Es de forma redondeada y muy pequeño, casi siempre se coloca en el plato del pan, debe ser individual. Se utiliza cuando se sirven patés o mousse, para untar. Pertenece ya a los cubiertos de servicio.

Los cubiertos se ponen en la mesa de acuerdo al menú, comenzando de afuera hacia adentro, según se van a utilizar. Los tenedores a la izquierda y lo demás a la derecha.

Copas y cristalería

"El sabor del vino se disfruta más en una copa de cristal que en una copa de vidrio".

La cristalería actualmente existe en una gran variedad de materiales, diseños y costos. Puedes encontrar copas en vidrio transparente, tallado, liso, en vidrio soplado, cristal cortado, etc. y las usarás de acuerdo a tu vajilla y ocasión. Hay cristalería fina muy famosa que puedes obtener para grandes ocasiones y las más conocidas son de procedencia y nombre según la siguiente lista:

Cristal Alemán   Bergum
Cristal Belga   Val Saint Lambert
Cristal Checoslovaco   Bohemia
Cristal Estadounidense   Tiffany
Cristal Francés   Bacarat, D'argental, Lilac
Cristal Italiano   Murano
Cristal Mexicano   Vidrio Soplado

En los juegos normalmente se incluyen las siguientes:

La de mayor tamaño   para agua
La que sigue   para vino tinto o rosado
La que sigue   para vino blanco
La más pequeña   para licor

Agua

Vino

Para champagne puede ser la tradicional de medio círculo o la de flauta. Todas tienen un tallo largo para tomarlas de ahí y que el vino no se caliente, con excepción de la de brandy o cognac que es más corto. En Austria existe una más grande que la de agua, para el vino tinto de Burdeos.

Agua   Vino tinto   Vino blanco   Licor   Champagne

Forma correcta de usar los cubiertos

En el estilo americano el tenedor pasa a la mano derecha después de cortar con el cuchillo y en el europeo puede usarse la mano izquierda. (véase dibujo).

Al terminar la sopa, la cuchara se deja en el plato inferior, no dentro del mismo, ya que esto indicará que no hemos terminado (véase dibujo).

La cucharilla del café se deja sobre el plato.

Cómo y con qué comer los alimentos

CON LAS MANOS

Pan, galletas,tostadas, chicharrón, tacos, bocadillos, canapés, alcachofas, espárragos, sandwiches, hamburguesas, hot dogs, papas fritas, pizza.
Algunas frutas como mandarinas, uvas, cerezas, naranjas en gajos, ciruelas, chabacanos.

MANOS, TENEDOR Y PINZAS

Langosta, ostras, almejas y camarón sin pelar. Duraznos, manzanas y
peras. Después se presentará un cío, (lavadedos). (véase dibujos)

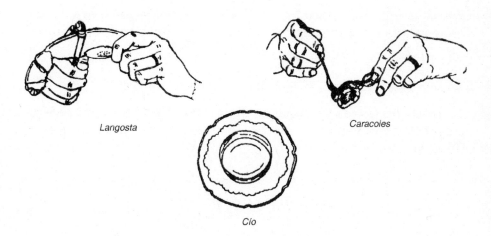

Langosta

Caracoles

Cío

TENEDORES

Huevos cocidos y de cualquier forma, arroz, verduras, pastas, pescados, carnes suaves deshuesadas, alimentos gratinados, purés y papas cocidas, así como frutas partidas: melón, sandía, plátano. Pasteles y merengues.

TENEDOR Y CUCHARA

Spaguetti, Fettuccini y Linguini.

TENEDOR Y CUCHILLO

Carnes, aves y pescado entero.

CUCHARA

Cremas, sopas, cereales con leche y cualquier alimento caldoso.

CUCHARILLA

Toronja, mango con cáscara rebanado, medio melón con cáscara o en perlas, gelatina, flan, helados y postres como pudín y fruta en almíbar.

CUCHILLO

Con sierra para carnes. El especial para patés, mantequilla y pescado.

Existe un tenedor especial de tres dientes que es para trinchar el mango. Hay también unas pequeñas espaditas especiales para comer el elote entero.

Al servir

- Primero al invitado de honor y a las damas.
- No llenar demasiado los platos y evitar manchar la orilla del mismo.

- Evitar hacer ruido al servir.

- No insistir al ofrecer un platillo.

- Al servir el vino, no levantar la copa de la mesa.

- Si no hay servicio, tener un carrito cerca de la anfitriona para tener todo cerca y evitar estarse levantando.

- La copa de agua deberá estar llena todo el tiempo 3/4 partes.

Al comer

- Si introducimos un bocado caliente, simplemente entreabrimos un poco la boca, tapándola con una servilleta.

- No debemos mezclar toda la comida ni cortar toda la carne, solamente la que vamos a comer en el momento.

- Las espinas del pescado, huesos de aceitunas, etc., se colocan discretamente con el tenedor en el borde superior izquierdo del plato.

- El cuchillo se usa de nosotros hacia afuera para empujar la comida. (véase dibujo)

- Cualquier alimento de consistencia que se caiga fuera del plato, debemos recogerlo discretamente, sin decir nada, con la cucharilla del postre.

- Cuando se derrama un líquido, colocamos una servilleta encima para evitar que se riegue.

- Si necesitamos algo que está lejos de nosotros, es mejor pedirlo.

- Los codos siempre fuera de la mesa. La mano que no estamos utilizando se coloca sobre el regazo o al lado izquierdo del plato.

- Debemos masticar los alimentos con la boca cerrada y en silencio.

- Comer pequeños bocados, por si hay que contestar algo durante la comida.

- Del pan, partiremos con la mano el pedazo que vamos a comer, al que se le untará la mantequilla.

- Si deseas volver a comer de algún platillo en especial, debes esperar a que la anfitriona te pregunte; al dar tu plato para que te sirvan de nuevo, debes colocar el cubierto que has estado usando al lado derecho del plato, sobre el mantel.

- Si se cae algún cubierto al piso, no lo recojas o uses.

- Nunca se utilizan los palillos de dientes en la mesa, si en el baño.

- Nunca se fuma mientras se esta comiendo o alguna persona no ha terminado.

- Para los postres se utiliza el tenedor, excepto en el helado, con almíbar, que es con cucharilla, la cual colocaremos en el platito de servicio al terminar.

- No importa cuanta prisa tengamos, no debemos abandonar la mesa antes de terminar el último bocado.

- Las piernas quietas y sin cruzarlas ayudan a una mejor digestión.

- No debes mover los platos vacíos y colocarlos uno encima de otro, limpiar los cubiertos, platos, etc., con la servilleta, colocar el cuchillo en la boca, ponerte a recoger los platos cuando los demás están todavía comiendo.

Evita siempre

- Empezar a comer hasta que se les haya servido a todos.

- Pedir recetas (solo en privado).

- Partir el pan con el cuchillo.

- Hacer ruido con los cubiertos.

- Sorber, oler los platillos.

- Comer muy rápido o muy despacio.

- Soplar a los líquidos o vaciarlos para enfriarlos.
- Beber con la boca llena, sucia o hacer buches.
- Hacer sopas con el pan.
- Abrir la boca al masticar.
- Tomar bocados muy grandes.
- Usar tortillas o pan en lugar de cubiertos.
- Ofrecer bebidas que ya se han probado.
- Expresar asco o desagrado.
- Escupir un alimento sobre el plato.
- Limpiarse con el mantel o sonarse con la servilleta.
- Hacer bolitas con el migajón.
- Poner sal a los platillos antes de probarlos.
- Observar fijamente a quien comete un error o burlarse.
- Limpiarse la boca con la cuchara.
- Decir que se está a dieta.
- Probar alimentos de otro plato.
- Pasar restos de un plato a otro.
- Comer hasta limpiar el plato.
- Retocar el maquillaje.
- Jugar con el salero.
- Regresar el líquido derramado del plato a la taza del café.
- Tocarse la nariz o el pelo.
- Peinarse en la mesa.
- Quitarse los zapatos.

Todas estas son actitudes que debemos evitar y las positivas debemos hacerlas hábito, hasta que lo hagamos inconscientemente.

Varios tipos de servicio

En una cena de etiqueta, la anfitriona de la casa asigna los lugares a cada persona. Se puede colocar una tarjeta con el nombre en cada lugar e inclusive podríamos escribir algo alusivo a la fecha en la parte de atrás.

Servicio francés:

La sopa se encuentra servida o bien se trae ya servida en el plato por el mesero. Los demás platones se presentan por el lado izquierdo para que cada quien se sirva. Los platos sucios se retiran por la derecha. Antes de servir el postre debe limpiarse la mesa.

Servicio ruso:

Este tipo de servicio surgió cuando algunos maestros de la cocina francesa se fueron a Rusia. Es muy parecido al servicio francés, la diferencia está en que el que sirve es el mesero.

Este es el servicio más común además de ser el más práctico y elegante.

Servicio americano:

Aquí los alimentos vienen servidos desde la cocina. Se colocan frente al comensal por la izquierda. Es el utilizado comúnmente en los restaurantes, ya que es práctico, rápido y económico.

En los casos anteriores, el vino se comienza a servir una vez que los comensales están sentados a la mesa, donde ya estarán las copas en la forma adecuada. Este se sirve de acuerdo al menú y en la temperatura indicada.

Los vinos se descorchan al momento de servirse y se hace directamente de su botella, la cual estará cubierta con una servilleta para prevenir o evitar que escurran gotas y manchen el mantel o alguna prenda. En algunos casos, se sirve el vino en otra botella de cuello angosto, después en las copas, sobretodo los licores.

Buffet

Servir un buffet es algo muy divertido. La anfitriona disfrutará de la fiesta, ya que podrá tener todo listo con anterioridad.

Hay varios tipos de buffet, dependiendo del numero de personas, que pueden ir desde 12 hasta cien o más; de acuerdo también al motivo de la reunión.

Se podrá arreglar la mesa por ejemplo en una noche mexicana, con un mantel de colores fuertes, con una bonita vajilla de barro y hacer un menú con platillos mexicanos, aguas frescas, frutas secas, etc.

Dependiendo del espacio que tengamos y el tipo de mesa, se arreglarán los utensilios necesarios. Recuerda que la mesa debe verse atractiva sin estar recargada. Si la mesa es larga, en un extremo se pondrán los platos extendidos, los cubiertos que pueden estar ya en pareja con la servilleta debajo o bien formando un abanico. Las copas de vino o vasos con refresco ya estarán servidos.

Si hay muchas personas, se puede hacer un arreglo "gemelo" al otro extremo de la mesa, para evitar problemas de "tráfico". Los platones entonces, estarán al centro, donde también estará un adorno pequeño o un par de velas encendidas, dependiendo la fiesta. La mesa puede estar también pegada a la pared. Los platillos podrán estar en lugar de en la mesa, en un mueble trinchador.

Los invitados deberán tomar primero el plato, servirse y después tomar la servilleta, los cubiertos y su copa, ya que así tendrán las manos libres para poder servirse.

En algunas ocasiones, es conveniente tener mesero y que sea él quien sirva a cada persona. Se sugiere que en el menú nunca se incluyan carnes o platillos duros o difíciles de partir, pues en muchas ocasiones será el regazo el que sirva de apoyo al plato. Si se sirven platillos calientes, será bueno tener alguna parrilla eléctrica para que se conserven así.

Si la cena se va a servir una o dos horas después de la cita, se servirá botana muy ligera, pues los invitados perderían el apetito; pero si van a pasar más de dos horas, entonces sí se ofrecerán pequeños platones, con cacahuates, papas, palomitas, algún paté con galletitas, etc.

Dos mesas de buffet

Coctel

Puedes invitar a todas las personas que desees, citando a una hora para llegar y para irse. Para una inauguración o bien poder compartir con muchas de ellas alguna alegría o fecha especial, esto es lo que en inglés llaman "open house". En este caso, de preferencia siempre tendrás un mesero que ayude, para que tú realmente disfrutes de la fiesta. Aquí se pasarán bocadillos todo el tiempo, primero los fríos, luego los calientes y al final los dulces. Se prepararán patés, mousse, quesos, botanas especiales, como ciruelas pasas rellenas de nuez y envueltas en tocino, apio relleno de queso, pequeñas croquetas de atún, salchichas con pasta de hojaldre, etc., esto ya será obra de la imaginación de la anfitriona. Lo más importante es que los anfitriones dediquen un momento a cada persona.

Habrá vinos y bebidas al gusto.

Es importante que se invite a personas que puedan tener algo en común para que se hagan pequeños grupos de "gente contenta". Esto es ideal en Navidad, por ejemplo o en algún evento en el que se tiene que invitar a mucha gente y no se tiene espacio en la mesa o bien no te alcanza la vajilla para un buffet. Aquí lo único que necesitan tener todos es "una servilleta". En estas ocasiones, no hay que olvidar decirle al mesero que prepara las bebidas, que no las haga muy cargadas, pero que siempre los invitados tengan su vaso lleno.

Para una tarde de té

Elige un rincón agradable de tu casa: el jardín, la salita, frente a la chimenea si hace frío, etc. Antes de que lleguen los invitados prepara la charola con las tazas para el té y colócala en una mesa con la jarra de agua hirviendo, mezcla los tés. Sirve a los asistentes, según deseen y agrega azúcar, crema o limón, según lo quieran. Aquí puedes servir galletitas, algún pastel o bocadillos dulces.

Si estás celebrando alguna fiesta en honor a alguien (un cumpleaños, baby shower, despedida de soltera(o), bienvenida para los nuevos vecinos, etc.) puedes hacerlo de esta forma si es temprano, o bien servir un buffet si es después de las seis de la tarde.

Detalles que se deben cuidar en todas las ocasiones

La casa bien arreglada, si es posible pon flores naturales en varios lugares, que ayudarán además a dar buen aroma.

Todo listo con dos horas de anticipación a la cita.

El baño en perfectas condiciones: toallas limpias, que armonicen con el juego de baño y los colores, algún buen desodorante, un ramito de gardenias que adornarán y producirán un buen aroma. Jabón o de preferencia un champú para lavarse las manos, una crema para manos. Si es posible, en un bonito palillero, colocarás aquí los palillos para quien los necesite; un rollo de papel sanitario nuevo. Lo mismo que a la mano pero que tampoco se vea, tendrás unas toallas sanitarias por si alguien las llegara a necesitar. Un cenicero. Y por supuesto dirás a la persona indicada, que igual que limpia los ceniceros y los substituye por limpios todo el tiempo, revisará periódicamente el baño para que siempre se encuentre en buen estado.

Podrás también poner ahí algún adorno alusivo al festejo.

Todo esto es muy importante, pero hay algo mucho más:

Tu persona

Algo respecto a los menús

No hablaremos específicamente de ningún platillo, para ello podrás tomar un curso de cocina o leer en las revistas algunas recetas, pero es muy importante tener en cuenta algunos puntos cuando vas a invitar a alguien a casa.

1. A quién vamos a invitar y sus gustos (si conocemos éstos).

2. Qué acontecimiento estamos celebrando.

3. Cuántas personas esperamos.

4. Qué tipo de servicio vamos a ofrecer.

5. Es la primera vez que vienen.

Después de esto, tomaremos en cuenta lo siguiente:

1. Planear un menú que no hayas hecho antes si las personas ya han venido en otras ocasiones.

2. La hora (desayuno, comida o cena).

3. El acontecimiento (etiqueta, buffet, coctel, baby shower, etc.).

4. No experimentar platillos. Que no sean muy condimentados ni con demasiado picante (si alguien lo desea es mejor que se lo agregue) lo mismo que cuidar la cantidad de sal.

5. Trataremos de que el menú sea equilibrado y los platillos se combinen unos con otros, ya que si no es así, las personas no se sentirán bien y por pena tal vez no lo digan. ¡Pondremos sales digestivas en el baño!

MALOS EJEMPLOS:

Pasta, chilaquiles, vino blanco y pastel de chocolate!!!!!!

Botana, crema de flor de calabaza, crepas con pollo, pollo en cacahuate, ensalada y mousse de mango!!!!!

Trataremos de que todo concuerde, por ejemplo:

UNA COMIDA MEXICANA

Taquiza: chicharrón, mole verde, cochinita, frijoles, etc.

De beber: cerveza.

Postre: fruta fresca o frutas cristalizadas.

UN DESAYUNO

Jugo, frutas, cereal con leche, huevos (calculando dos por persona) o bien hot cakes, o yogurt con fruta, café o té.

UNA CENA INFORMAL

Queso, pan, carnes frías y vino (tinto, blanco o rosado) turrones si es la época o frutas secas de postre.

COCTEL PARA MUCHAS PERSONAS

**Mousse de: aguacate, cangrejo, queso roquefort; paté, salchichas con pasta de hojaldre, rollitos de hojaldre con queso, croquetas de atún, papitas en perejil, pan campesino, ciruelas rellenas de nuez y envueltas con tocino (los últimos seis son calientes).

De postre: pastelillos, rebanaditas de rollo de nuez o dátil.

De beber: Vino blanco o bien bebida libre.

CENA FORMAL DE ETIQUETA

Poca botana. Entrada de jamón serrano con melón chino. Consomé ligero (puede ser de pollo con espárragos). Lomo de cerdo en salsa de ciruela pasa. Helado de vainilla de postre.

De beber: Vino blanco y tinto al gusto.

Estos son unos ejemplos de lo que puedes hacer.

Recuerda, no es sólo la comida lo que tomarán en cuenta, sino

"La atención, el cariño y tu compañía"

No cometas el grave error de comenzar a retirar los platos, limpiar y no participar de la sobremesa, ya más tarde recogerás.

**(Recetas en el curso Anfitriona Ideal, véase al final Armonía y Estilo).

Las servilletas

La servilleta es un accesorio indispensable en cualquier mesa y momento de reunión en el que se sirva algo de comer o beber.

Cuando es solamente un café o té, se dará una servilleta pequeña, que puede ser bordada o con un pequeño encaje alrededor. Lo mismo cuando es un coctel en donde se estarán pasando bocadillos. Se puede dar servilleta de papel, aunque esta forma es mucho más informal. Cuando se sirve buffet, debe ser de preferencia de tela haciendo juego con el mantel, o bien de papel con algún dibujo alusivo al acontecimiento.

Cuando es formal, se pondrá en la mesa, de lado izquierdo, pero nunca debajo de los cubiertos, o bien al frente, doblada en rectángulo o triángulo, puede ir enrollada con un aro que haga juego con los demás accesorios; pero por supuesto, puedes usar tu imaginación, haciendo que luzcan como adorno de la mesa. He aquí sólo unos ejemplos:

DOBLEZ PARA BUFFET

Doblar la orilla inferior hasta un poco menos de la mitad. La parte que queda doblarla hacia atrás y la mitad hacia abajo, de manera que la parte inferior quede con tres capas. Formar un triángulo en la parte superior (como para hacer un barquito), doblando las puntas superiores hacia la mitad.

a) Doblar las esquinas inferiores que se proyectan hacia la capa superior quedando un triángulo.

b) Voltear las puntas laterales del triángulo hacia el centro.

c) Colocar las puntas inferiores del triángulo a que toquen el centro para formar "bolsas" que contengan los cubiertos planos.

VELA

Doblar la servilleta en triángulo con la punta hacia arriba. Doblar la base hacia atrás como 4 cms. Con el doblez hacia afuera, enrollarla asegurando la punta final para que no se deshaga.

a) Pararla en la mesa con la punta hacia arriba y suavemente bajar la punta de enfrente.

FLOR DE LYS

Doblar la servilleta en triángulo con la punta hacia abajo; doblar ambas puntas superiores al centro.

a) Ahora las mitades inferiores subirlas para unirlas con la punta.

b) Hacer un acordeón con la parte inferior dividiendo lo ancho de modo que la última puntita quede hacia abajo al centro de la base del triángulo.

c) Levantar la servilleta y doblar las puntas inferiores del triángulo hacia atrás ensartándolas. Pararlas en la mesa, jalar las puntas laterales hacia abajo que parezcan caídas.

LANGOSTA

Doblar la servilleta a la mitad. Colocar las puntas superiores hacia el centro formando un triángulo.

a) Doblar las puntas inferiores izquierda y derecha hacia arriba al centro.

b) Voltear la servilleta hacia abajo. Doblar la parte de arriba de la misma hacia la parte superior.

c) Levantarla, doblando a lo ancho; doblar las puntas sueltas, (simulando las patas) sobre la servilleta, apoyando a los lados.

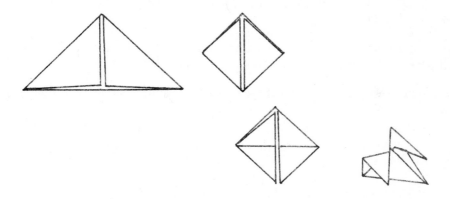

Formas comúnes y sencillas de doblar la servilleta

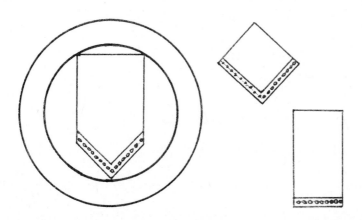

Tú, la anfitriona

Deberás estar descansada. De preferencia con tiempo habrás arreglado todo y cocinado. Revisar los últimos detalles con anterioridad, para que dediques un buen rato a descansar.

Si es posible toma un baño relajante, ponte una mascarilla, arréglate las uñas y el cabello, maquíllate y vístete para que estés lista una o media hora mínimo antes de la hora que citaste a los invitados. Es de muy mal gusto que comiencen a llegar y la anfitriona no esté lista, o bien tenga que estar yendo a la cocina todo el tiempo.

Disponte a estar en calma, atendiendo y disfrutando de la conversación de tus invitados.

Tu arreglo será de acuerdo a la ocasión resaltando siempre, ya que en ese día TU eres muy importante.

Recuerda que ese día abrirás las puertas de tu casa, pero lo mejor será:

"Abrir las puertas de tu corazón y tu alegría"

6

Bases de enología

Diferentes vinos

"Con la primera copa, el hombre bebe al vino, con la tercera el vino bebe al hombre".

(Autor desconocido)

Lo primero que debemos tomar en cuenta es que el vino es para acompañar una buena comida, compartir una buena experiencia o para hacer un brindis y en la medida que lo tomemos demostraremos principalmente la autoestima y el respeto hacia los demás.

Los vinos de mesa

El vino es el jugo de las uvas. Cada gota de vino es lluvia que la vid recogió. Durante los primeros 5 años de vida, la vid desarrolla sus raíces y un tallo muy fuerte. Es una planta frágil y delicada. Produce a los 7 años y muere a los 40.

Las especies están divididas en diferentes variedades, como:

Chardonay, Pinot Noir, Moscatel, Sauvignon, Grenache y Chenin Blanc.

El cultivo de la vid se localiza en las zonas templadas del planeta y para el buen desarrollo de esta planta se necesitan inviernos fríos y veranos secos y cálidos. No necesita mucha humedad. Se adapta a suelos no compactos, pedregosos o ligeramente calizos, poco fértiles.

Las uvas son la materia prima del vino. La piel aporta tanino, color, aroma, ácidos, sales y levaduras que provocan la fermentación. Las semillas contribuyen con tanino. El jugo o mosto aporta el agua, las sales y el azúcar.

El azúcar se convierte en alcohol etílico y anhídrido carbónico. La fermentación dura 4 ó 5 días, la transformación del mosto de la uva en vino se desarrolla a través del proceso bioquímico expuesto y constituye la base sobre la que se levanta toda la ENOLOGÍA.

Se dividen en vino tinto, vino rosado, vino blanco y vino espumoso. Los licores y aguardientes no vienen de la uva.

Se llaman vinos de mesa a los que se beben con las comidas y se sirven de la siguiente manera:

VINO TINTO: Las uvas son depositadas en barriles para su fermentación. Aquí el mosto fermenta en contacto con los hollejos, que darán al vino color, aroma, acidez. Se toma a la temperatura ambiente con carnes rojas.

VINO ROSADO: Las uvas se prensan y se aprovecha el principio, ya que el resto del prensado tendrá demasiado color. Se utiliza la uva Grenache y su fermentación se realiza sin hollejos. Se toma frío con cualquier comida.

VINO BLANCO: Se elabora con uvas blancas, tipo Chardonay, Sauvignon y Chenin Blanc. Se deja el pellejo en contacto con el mosto poco tiempo para que no tome color. La fermentación se realiza sin hollejos. Los hay secos, medio secos y dulces. Se bebe frío con carnes blancas, aves, pescados y mariscos.

CHAMPAGNE: Es un vino blanco espumoso natural, de la fermentación inicial del mosto procede su espuma. Su proceso fue descubierto precisamente en la ciudad de Champagne, Francia, por un monje benedictino llamado Dom Perignon y la de mayor calidad lleva su nombre. Después está Möet Chandôme, Mum, Veuve du Cliquot y Chambrulet. Es una bebida de gran categoría. Se bebe bien fría, con cualquier comida y en cualquier ocasión.

SIDRA: Es una bebida que resulta de la fermentación del jugo de manzanas ácidas, a la cual se le añade gas carbonatado. Se bebe bien fría.

Como vemos los vinos deben tomarse a diferentes temperaturas, esto por lo general es cuestión de costumbre. Sin embargo sabemos que un vino a la temperatura ambiente es más aromático.

Los vinos blancos y rosados se toman fríos, pero nunca helados. No deben refrigerarse ya que pierden parte de su sabor. Lo más recomendable es tener hielo con sal en una vasija y una hora antes de servir, ponerlos a enfriar. Lo mismo para el champagne.

Un vino puede tener fecha de caducidad y esto está en función de su acidez. Cuando la pierde, también pierde sus características y queda sujeto a bacterias que lo alteran totalmente. Si cambia el aroma o el color, el vino se echó a perder.

Para guardarlos se hará en un lugar fresco y de preferencia obscuro. El tapón de corcho lo mantiene cerrado herméticamente. Por lo general deben mantenerse acostadas precisamente con el objeto de que el vino esté en contacto con el corcho y se mantenga húmedo.

Licores

En general los licores se dividen en cuatro:

AGUARDIENTES: Derivados de la destilación de líquidos azucarados con la adición de substancias aromáticas.

LICORES: Propiamente dichos, que contienen un 20% de alcohol, de un 10% a un 30% de azúcar y substancias aromáticas en dosis más o menos elevadas.

APERITIVOS: Preparados con amargos o quinina o también con substancias aromáticas como el anís. De poca concentración alcohólica.

CREMAS, CORDIALES O DIGESTIVOS: Licores a base de jugos de fruta, con extractos a los que se les añade alcohol.

Aperitivos

Son los vinos que se ofrecen y se toman antes de comer, para abrir el apetito y tal vez acompañados de alguna botana.

VERMOUTH: Lo hay rojo, blanco y blanco dulce. Se sirve solo o en las rocas (con hielo). El blanco seco mezclado con ginebra y una aceituna nos da el popular Martini.

DUBONETT, CAMPARI, JEREZ Y OPORTOS, son aperitivos excelentes y se sirven de la misma forma que el Vermouth.

TEQUILA: Es aguardiente extraído del agave azul, producido principalmente en la región de Tequila, Jalisco. Los hay blancos, reposados, suaves y añejos. Se sirve sólo en una copita especial, acompañado con limón, sal y sangrita. Se mezcla para elaborar varios cocteles como el Margarita que lleva jugo de limón y Cointreau o el Tequila Sunrise que está mezclado con jugo o zumo de frutas.

TRAGOS LARGOS: Se sirven también como aperitivos o con las botanas o a cualquier hora y son la combinación de algún refresco o agua mineral, como son la conocida "cuba" que es ron con refresco de cola, el High Ball que es Whisky con agua mineral o natural, entre otros.

BRANDY O COGNAC: Son destilados de vino puro de uva y añejados en barricas de roble. Estos se toman solos y a la temperatura ambiente, entre comidas o al final. La única diferencia entre ellos es que el Cognac es destilado en la región que lleva su nombre, en Francia. Los brandies se producen fuera de allí. Ambos pueden tener las siglas V.S.O.P. (Very Superior Old Pale) y define una calidad extra de añejamiento mayor a los diez años.

WHISKY, WHISKEY Y BOURBON: El whisky es un producto elaborado en Escocia a base de trigo. El whiskey es elaborado en los Estados Unidos a base de maíz. El whisky es un licor con sabor un tanto floral, nunca es amargo. El Bourbon tiene un sabor ligeramente más dulce y el aroma es más intenso. De acuerdo al envejecimiento en barriles, se torna más obscuro, suave y aromático.

Se puede tomar solo o en las rocas o bien con agua mineral o natural. Está catalogada entre las bebidas de más clase.

VODKA: Sus orígenes vienen de Rusia y Polonia, ahí normalmente lo toman solo, sobre todo cuando hace mucho frío para calentar el cuerpo. Está elaborado de la destilación de los granos de varios cereales o de la papa. Es una bebida ausente de sabor y aroma, su destilación da por resultado un alcohol muy neutro. Si deseas saber si tiene excelente calidad, pon unas gotas en el dorso de la mano, déjalo secar y la piel no debe oler ni saber a nada. Se toma solo o mezclado con agua quina o con jugos de frutas. Si se mezcla con leche evaporada o crema de leche fresca, da el Ruso Blanco y si se hace con licor de café (kalhúa) resulta Ruso Negro.

GINEBRA: Se denomina así al licor elaborado con bayas de enebro y cereales; es originario de Holanda y después se convirtió en una bebida tradicional inglesa. La clásica London Dry se obtiene de la destilación de los granos con una mezcla de alcohol. Los holandeses la toman sola en pequeñas copas (como en México el tequila). Se mezcla con agua quina, refrescos de toronja o jugo de naranja.

RON: Se elabora de la destilación del jugo de caña de azúcar, piloncillo o miel y es fermentado en barricas de roble o encino. Es una bebida muy versátil y combinable con diversos sabores de refresco. El elaborado en Puerto Rico y Santo Domingo es más fuerte que el cubano y mexicano que son más suaves. Ideal para los tragos largos (las famosas cubas). Se utiliza en los ponches calientes o fríos. Es estupendo para flamear platillos y como ingrediente en la repostería.

CERVEZA: Aunque la cerveza no está en la categoría de los vinos y licores la tomamos en cuenta como una bebida popular.

Está hecha de agua, malta, levadura y lúpulo que es lo que le da el sabor amargo.

Se toma bien fría y con comidas informales.

Vinos cordiales o digestivos

MOSCATEL: Es un vino dulce elaborado con uvas moscateleras. Es denso y dulzón. Para elaborarlo, la uva ya cortada se asolea antes de ser prensada para su fermentación. Su graduación de alcohol es baja. Es una bebida excelente para postres y para damas.

GRAND MANIER: Se obtiene con cognac añejo y esencias de naranja dulce y amarga. Se añeja en barriles de encino. Su sabor es dulce y fuerte. Existe una variación y es el Cherry Manier que es igual pero elaborado con cerezas.

DRAMBUIE: Es una mezcla de whisky escocés con miel y hierbas aromáticas de sabor dulce y suave.

GALIANO: De origen italiano, de sabor dulce y fuerte. Se elabora mezclando una variedad de hierbas aromáticas con alcohol.

JEREZ: Originario de Andalucía, de la ciudad de Jerez de la Frontera. Está elaborado con uvas muy maduras mediante un proceso conocido como solera y es el sistema que permite la perfecta maduración del vino nuevo del mismo tiempo. Hay tres tipos de jerez: el fino que tiene color claro y un aroma penetrante; el oloroso es más oscuro y pesado, de aroma intenso y el palo cortado que es mucho más aromático.

ANÍS DULCE: Es un licor muy popular, de origen español. Es muy dulce y está preparado a base de la destilación del anís y algunas especias. Sirve también para algunos postres. Se puede tomar como aperitivo o digestivo, solo o con hielo. Con granos de café.

AMARETTO: Es un licor fuerte de origen italiano, elaborado con almendras.

COINTREAU: Es un licor destilado de naranjas.

PERNOD: De sabor anisado que incluye también el hinojo en su elaboración. De color verdoso. Se toma solo, con agua o mezclado.

KIRSH: Originario de Suiza. Se prepara con huesos y pulpa molidos de cerezas y dejados en barriles de roble para su reposo. Se usa también en postres y cocteles de frutas.

BAILEYS: Originario de Irlanda. Mezcla de whisky con licor de café. Se toma solo o en las rocas.

ROMPOPE: Es una bebida típica hecha por las monjas. Es una crema compuesta de yemas de huevo, azúcar y aguardiente. Se sirve de aperitivo. Por su bajo contenido de alcohol tiene gran aceptación en reuniones de tipo familiar.

MIDORI: Es un licor destilado del melón, de color verde. Se toma solo, en las rocas o en coctel.

Existe una variedad más de licores, elaborados con frutas y se utilizan sobre todo mezcladas con diferentes jugos. Estos se toman como aperitivos o como bebidas refrescantes.

Al pedir alguna bebida tomaremos en cuenta el lugar, la ocasión y las personas con las que estamos compartiendo.

En un buen restaurante siempre habrá quien nos ayude a decidir que vino pedir si es que tenemos duda, es el encargado de los vinos (sommelier) quien inclusive tendrá la forma de probar el vino antes de servirlo, para estar seguro de que lo que nos ofreció es de la calidad que se espera.

Cómo reconocer y elegir un buen vino

La etiqueta de un buen vino de marca debe decir:

1. Nombre del vino.

2. Mención del origen.

3. La figura indicando la marca.

4. El nombre del vinicultor.

5. Lugar de producción y embotellado.

Algunos vinos tienen las siglas V.D.Q.S. que significa "Vin de quialité superieure", que significa vino de calidad superior.

Otros dicen "Mise en bouteille au chateau" o "Au domaine" e indican también ser vinos embotellados directamente por el cultivador.

Las mejores cosechas son las de la franja central (véase dibujo)

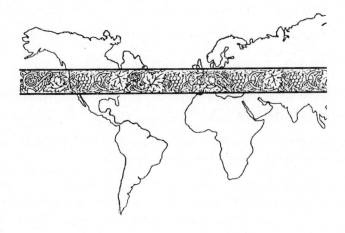

Buenos vinos conocidos

VINOS BLANCOS SECOS

Españoles: Rioja, Alella, Mancha

Alemanes: Riesling, Mosela

Italianos: Orvieto, Frascati

Franceses: Chablis, Polly Fouseé

Mexicanos: Chardonay de Domecq

VINOS BLANCOS DULCES

Españoles: Málaga, Alella

Franceses: Graves, Vouvray

Italianos: Castelli, Romani, Verdicchio

Austríacos: Riesling

Portugués: Oporto

Alemanes: Rhin, Libfraumilch

Chilenos: Viña Maipo

Mexicanos: Blanc de Blancs de Domecq

VINOS TINTOS LIGEROS

Franceses: Beaujolalis, Chateau-Neuf du Pape, Medoc

Portugueses: Vino verde tinto

Españoles: Rioja, Valdepeñas, Priorato

Mexicanos: Reserva Real de Domecq

VINOS TINTOS

Franceses: Borgoña, Hermitage, Saint Emilion, Pomerol

Españoles: Rioja, Alicante

Italianos: Chianti

Mexicanos: Chateau de Domecq, Los Reyes de Domecq

TINTOS DE RENOMBRE

Franceses: Chambertin, Cote de Nuits, Corton, Romaneé, Musigny

Italianos: Barolo

VINOS ROSADOS

Españoles: Rioja rosado

Suizos: Ojo de Perdiz (Neuchatel)

Franceses: Tavel, Cabernet d'Anjou

Chilenos: Viña Maipo

En Estados Unidos se producen algunos como:

Pinot Noir-Almacen, Sauterne, Paul Masson, Cabernet Savignon

Existen excelentes vinos Argentinos

En Cognac o Brandy encontramos Remy Martin, Chatelaine, Napoleón, Armagnac y Polignac todos franceses

El Brandy Soberano de González Byass y Pedro Domecq de España.

Y de Inglaterra el Hennessey V.S.O.P (Very Superior Old Pale)

Conclusión

Después de haber leído este libro te habrás dado cuenta de la importancia de la Imagen y de la Etiqueta.

Has conocido los conceptos básicos para que como si fueran semillas, de hoy en adelante las pongas a germinar.

Seguramente muchas cosas ya las sabías y estos capítulos te sirvieron solo de recordatorio, habrá algunas nuevas que te servirán para seguir perfeccionando tu imagen.

Lo anterior es elemental para causar la primera impresión pero aun cuando esto es tan importante te recuerdo para finalizar que

Tu eres el reflejo de lo que llevas dentro

Por eso debes continuar conociéndote, cultivándote, en una palabra *creciendo* para ser cada día mejor persona.

Así es que adelante y recuerda ¡TU PUEDES!

Bibliografía

B. Sáez y A. Crespillo "Compórtate", Editorial Palabra.

Betty Nether "Uniquely You", Tyndale House Publishers, INC.

Carol Jackson "Color for men", Editorial Ballantine books, New York (1981).

Carol Jackson "Color me beautiful", Editorial Acropolis Books Ltd. Washington D.C.

Clearence Witten "Choose your style".

Donna Fuji "Color with style", Graphic-Sha Publishing Company, Ltd.

Elizabeth L. Post "Advice for every dining occasion", Editorial Harper Collins.

Emily Cho "It's you!" Editorial Ballantine books, New York.

Evelia Porto Mejía "Arte de la Etiqueta", Editorial Promexa.

George Bernard Shaw "Etiquette for gentelmen", Editorial Cooper Buch Publishing.

Jeanne Allen "Dressing with color", Editorial Chronicle Books, San Francisco.

Johannes Itten "The art of color".

John T. Molloy "El hombre bien vestido", Selector Actualidad Editorial.

José Luis Beltrán "Etiqueta para el mundo de hoy", Editorial Promexa.

Judy Reiman "Scarf Tying", Editorial Canadian Cataloguing in Publication Data.

Leatrice Eliseman "Alive with color", Editorial Capital Books, Inc.

Manuel A. Carreño "Manual de Urbanidad", Editorial Nacional

Mary Spillane "Color Me Beautiful's, Looking your best", Editorial Madison Books.

R.B. Sheridan "The etiquette of politeness", Editorial Cooper Buch Publilshing.

Robert Pante "Dressing to win", Editorial Doubleday & Company, INC.

Rosario Galindo "Mujer... armonía y estilo", Panorama Editorial.

La autora

Rosario Galindo de Fernández, AICI, CIP inicia su carrera hace casi 30 años especializándose en Imagen Personal y abre las puertas de la Escuela Armonía y Estilo/Personalidad Empresarial en 1990.

Actualmente trabaja en capacitación dando asesoría de Imagen Personal, así como cursos de Imagen y Etiqueta Ejecutiva, Ventas, Servicio al Cliente y Relaciones Humanas, a nivel empresarial en toda la República Mexicana, Argentina, Chile, Estados Unidos, Rusia y Europa.

Imparte también conferencias motivacionales para la Superación Personal, realizando así una de sus metas, que es compartir sus experiencias con miles de personas.

Desde el mes de mayo de 1997 participa como conferenciante en diversos foros iniciando en Les Nouvelles Estethiques de Miami, Longbeach California y Buenos Aires, Argentina e imparte conferencias y cursos en, Francia, Rusia y Chile poniendo en alto a nuestro país con sus cursos en el extranjero y recibiendo el premio Levinia Manfredini en el año 2009 como una de las mejores conferencias de la Década.

Escribe en 1995 su primer libro: Mujer...armonía y estilo y desde 1998 las primeras ediciones de Como te ven te tratan Imagen y etiqueta para damas y Como te ven te tratan Imagen y etiqueta para varones habiéndose vendido mas de 100 000 ejemplares de los mismos y siendo estos ya libros de catálogo.

Es la primera mexicana certificada internacionalmente por la AICI (ASSOCIACION INTERNACIONAL DE CONSULTORES EN IMAGEN) como CIP (Certified Image Professional).

Participa en cápsulas de Imagen en programas de radio y televisión.

Si deseas mayor información sobre sus cursos o bien una orientación personal, puedes comunicarte a Armonía y Estilo/Personalidad Empresarial:

Hda. de Temixco 30 Bosque de Echegaray, Naucalpan, Edo. de México, CP 53310 México

Teléfono: (555)-53734976
Fax: (555)-53635234
correo armoniayestilo@prodigy.net.mx
www.armoniayestilo.net.mx